Kanji for intermediate level

# 漢字マスター N3

日本語能力試験N3レベル

アークアカデミー編著

KANJI

三修社

# 本書をお使いのかたへ

## 1. はじめに

　本書は、中級レベルの漢字を楽しく確実に習得することを目指しています。「漢字マスターシリーズ」を使って学習を進めると、全シリーズ修了時には、2010年11月30日告示の「改定常用漢字表」一覧に掲載された2136字と、その他に使用頻度が高いと思われる表外字14字を加えた2150字が習得できます。

　本シリーズは、漢字とともに多くの語彙や慣用句も一緒に学べるように作られています。提示した語例は、日常の生活の中で身近に接することが多いものをとりあげました。したがって、漢字そのものの学習と共に日本語の表現の幅を広げることが可能です。また、非漢字圏の方にも学びやすいように、漢字には全てルビを振りました。プレッシャーを感じることなく漢字の能力を伸ばすことができるでしょう。

## 2. 本書の構成

　本書には376字の漢字を掲載しました。「漢字マスターN5」「漢字マスターN4」で掲載した基礎漢字と合わせると、合計約700字の習得が可能です。

　漢字はカテゴリー別に分類し、さらに小タイトルをつけました。分野別にすることで効率よく学ぶことができます。日常生活で必要性が高いと思われる漢字を比較的前半の章に配置し、後半の章に進むにつれて段階的に難易度を高めてあります。また、中上級〜上級レベルの漢字であってもN3レベルの言葉の習得に必要だと判断したものは、解答欄に読み方をつけて提示しました。1ページは原則として4文字です。1日1〜2ページのように計画的に学習しましょう。本書に掲載した漢字はN2レベルに進む前に必ずマスターしてください。

　また、最後のページには、特別な読み方をする漢字として「改定常用漢字表」付表のN3レベルの熟字訓を全て掲載しました。読めるようになりましょう。

## 3. 学習方法

### (1) 学習漢字

　各ページの4文字には、それぞれ、親字のほか「改定常用漢字表」一覧にある訓読み・音読みを載せました。親字の下には画数も示してあります。

　学習の際にはまず意味と筆順を理解します。

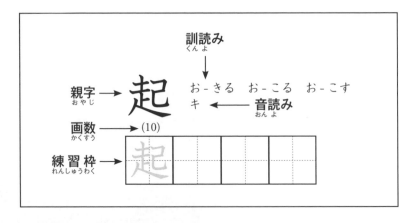

意味は主に訓読みに含まれていますので、訓読み・音読みの順序で学習を進めてください。練習枠も視写を含む4枠を設けましたので、正しい字形の習得が可能です。

語例は「漢字を読みましょう」「漢字を書きましょう」に分けて提示しました。漢字の読み書きはもちろん、正確な文の形で覚えましょう。章を追うごとに徐々に難易度が上がっていきますので、1ページずつ着実な定着を目指してください。また、「改定常用漢字表」の読みには掲載されていても、あまり使われないものや、N3レベルではないと判断したものは「とくべつな言葉」としてとりあげました。

## （2）学習の流れ

　まず、漢字の読み、正しい書き方を1文字ずつ着実に覚え、その漢字をどのように使うのかを習得します。その後、1章ごとの復習を解きます。学習した漢字の定着度の確認や苦手な漢字の発見に活用してください。

　アチーブメントテストは原則として2章ごとに用意しました。学習に変化をつけ、楽しみながら学ぶためにクイズもありますので、宿題やテスト等に活用してください。総復習として、1〜11章、12〜20章のまとめテストもついていますので、自身のレベルチェックにご利用ください。

　目次には、理解度の把握のためにチェック欄☑、および学習日欄（　／　）をつけました。独学の場合も授業で取り扱う場合も、学習計画や定着度確認等に役立ててください。

　皆様の漢字学習が成功することを執筆者一同心から願っています。

**2011年5月　アークアカデミー**

## 「漢字マスターシリーズ」

①「かなマスター」
　(Mastering KANA in 12 days with pronunciation and vocabulary)

②「漢字マスターN5」
　(Introduction to Kanji)

③「漢字マスターN4」
　(Kanji for beginners)

④「漢字マスターN3」
　(Kanji for intermediate level)

⑤「漢字マスターN2」
　(Kanji for high-intermediate level)

⑥「漢字マスターN1」
　(Kanji for advanced level)

# 漢字マスター N3 目次

●本書をお使いのかたへ

# 生活1
せいかつ

起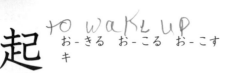
お－きる　お－こる　お－こす
キ
(10)

| 起 |  |  |  |
|---|---|---|---|

寝 to sleep
ね－る　ね－かす
シン
(13)

| 寝 |  |  |  |
|---|---|---|---|

浴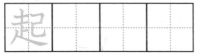
あ－びる　あ－びせる
ヨク
(10)

| 浴 |  |  |  |
|---|---|---|---|

湯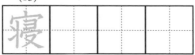
ゆ
トウ
(12)

| 湯 |  |  |  |
|---|---|---|---|

## 漢字を読みましょう
かんじ　よ

① 休日はいつもより遅く起きる。
きゅうじつ　　　　　　　おそ

② 昨夜、小さなじしんが起こった。
さくや　ちい

③ 毎朝、母に起こしてもらっている。
まいあさ　はは

④ 寝室に新しいベッドを置いた。
しんしつ　あたら　　　　　　お

⑤ 寝台車を利用して旅をする。
しんだいしゃ　りよう　　たび

⑥ ジョギング後にシャワーを浴びる。
ご

⑦ ベランダで日光浴をする。
にっこうよく

⑧ 浴室のリフォームに百万円かかった。
よくしつ　　　　　　　ひゃくまんえん

⑨ お湯をわかしてコーヒーを入れる。
ゆ　　　　　　　　　　い

⑩ 熱湯を入れて3分待ってください。
ねっとう　い　　　ぶん　ま

| ① | ② | ③ | ④ | ⑤ |
|---|---|---|---|---|
| ⑥ | ⑦ | ⑧ | ⑨ | ⑩ |

## 漢字を書きましょう
かんじ　か

① はやおきするのは気持ちがいい。
きも

② パソコンを再きどうする。
さい

③ 子どもがひるねをする。
こ

④ 子どもをねかすのは私の役目だ。
こ　　　　　　　　わたし　やくめ

⑤ 川でみずあびをする。
かわ

⑥ クリスマス気分に冷水をあびせる。
きぶん　れいすい

⑦ 家族でかいすいよくに行く。
かぞく　　　　　　　い

⑧ ゆっくりとゆぶねにつかる。

| ① | ② | ③ | ④ |
|---|---|---|---|
| ⑤ | ⑥ | ⑦ | ⑧ |

とくべつな言葉……浴衣
ことば　　ゆかた

# 生活２
せいかつ

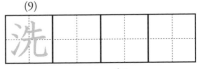

洗 あら‐う
　　セン
(9)

| 洗 | | | |
|---|---|---|---|

濯 タク
(17)

| 濯 | | | |
|---|---|---|---|

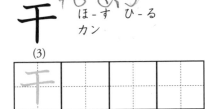

干 ほ‐す　ひ‐る
　　カン
(3)

| 干 | | | |
|---|---|---|---|

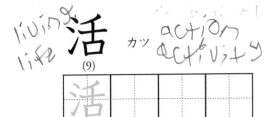

活 カツ
(9)

| 活 | | | |
|---|---|---|---|

## 漢字を読みましょう
かんじ　よ

① 食器をきれいに洗う。
しょっき

② 新発売の洗剤が安く売っていた。
しんはつばい　　　　やす　う

③ 昔は水洗トイレがめずらしかった。
むかし

④ 週に三回、洗濯する。
しゅう　さんかい

⑤ 天気がいい日は布団を干す。
てんき　　ひ　ふとん

⑥ つった魚で干物を作る。
さかな　　　　　つく

⑦ 社員を若干名さいようする。
しゃいん

⑧ 生活のため、アルバイトをする。

⑨ 富士山の火山活動を調査する。
ふじさん　かざん　　　ちょうさ

⑩ 赤ちゃんが活発に動きまわる。
うご

| ① | ② ざい | ③ | ④ | ⑤ |
|---|---|---|---|---|
| ⑥ | ⑦ | ⑧ | ⑨ | ⑩ |

## 漢字を書きましょう
かんじ　か

① 毎日うがいとてあらいをしている。
まいにち

② せんめんじょで歯をみがく。
は

③ せんたくものをたたむ。

④ シャツのしわをのばしてほす。

⑤ しょくせいかつに気をつける。
き

⑥ かっきのある職場。
しょくば

⑦ 通学の時間をかつようして単語を覚える。
つうがく　じかん　　　　　　　たんご　おぼ

⑧ ボランティアかつどうにさんかする。

| ① | ② 面 | ③ | ④ |
|---|---|---|---|
| | めん | | |
| ⑤ | ⑥ | ⑦ | ⑧ |

とくべつな言葉……　干渉
　　　　　ことば　　　かんしょう

# ゴミ

*to gather* *Find* *Pick up*
拾 ひろ-う
シュウ　ジュウ
(9)

| 拾 | | | |
|---|---|---|---|

*THROW AWAY* *give up*
捨 す-てる
シャ
(11)

| 捨 | | | |
|---|---|---|---|

*to burn*
燃 も-える　も-やす　も-す
ネン
(16)

| 燃 | | | |
|---|---|---|---|

*bag, sack,* *pouch*
袋 ふくろ
タイ
(11)

| 袋 | | | |
|---|---|---|---|

## 漢字を読みましょう

① 海岸で貝を拾う。
② 拾得物を交番にとどけた。
③ 結婚祝いのつつみに拾万円と書く。
④ いらなくなった書類を捨てる。
⑤ 小数点第一位を四捨五入する。
⑥ 火事でとなりのアパートが燃えた。
⑦ 落ち葉を集めて燃す。
⑧ 燃料を補給する。
⑨ 買った商品を袋に入れてもらう。
⑩ 雨にぬれて紙袋がやぶれそうだ。

| ① | ② とく | ③ | ④ | ⑤ |
|---|---|---|---|---|
| ⑥ | ⑦ | ⑧ | ⑨ | ⑩ |

## 漢字を書きましょう

① 近所のゴミひろいをする。
② 道でタクシーをひろった。
③ 道にゴミをすててはいけない。
④ 空き缶の投げすて禁止。
⑤ 今年はストーブのねんりょう費が高い。
⑥ 彼にライバル心をもやす。
⑦ 寒い日はてぶくろをはめて出かける。
⑧ ビニールぶくろにぬれたかさを入れた。

| ① | ② | ③ | ④ |
|---|---|---|---|
| ⑤ | ⑥ | ⑦ | ⑧ |

とくべつな言葉……　足袋、風袋

# カレンダー1

曜　ヨウ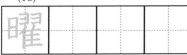
(18)

| 曜 | | | |
|---|---|---|---|

末　すえ　マツ　バツ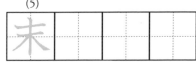
(5)

| 末 | | | |
|---|---|---|---|

昨　サク
(9)

| 昨 | | | |
|---|---|---|---|

翌　ヨク
(11)

| 翌 | | | |
|---|---|---|---|

## 漢字を読みましょう

① 休みは日曜日しかない。
② 都合がいいのは火曜日だ。
③ 週末はたいてい家でゆっくり休む。
④ 明日、期末テストが行われる。
⑤ 事件の意外な結末を知った。
⑥ 今月の末に、家族が日本に遊びに来る。
⑦ 昨晩、父が遅く帰ってきた。
⑧ 昨年、むすめが結婚した。
⑨ 午前中に出せば、翌朝にとどく。
⑩ 台風の翌日はいい天気だった。

| ① | ② | ③ | ④　き | ⑤　けつ |
|---|---|---|---|---|
| ⑥ | ⑦ | ⑧ | ⑨ | ⑩ |

## 漢字を書きましょう

① 働けるようびを教えてください。
② 今週のもくようびにコンサートに行く。
③ げつまつまでに借金を返すつもりだ。
④ 私は三人兄弟のすえっこです。
⑤ ねんまつは海外ですごす予定だ。
⑥ さくじつはありがとうございました。
⑦ さくやから熱が下がらない。
⑧ よくとし、彼はやっと大学を卒業した。

| ① | ② | ③ | ④ |
|---|---|---|---|
| ⑤ | ⑥ | ⑦ | ⑧ |

とくべつな言葉……　昨日、一昨日、一昨年、末子
ことば　　さくじつ・きのう　いっさくじつ・おとい　いっさくねん・おととし　ばっし・まっし

# カレンダー2

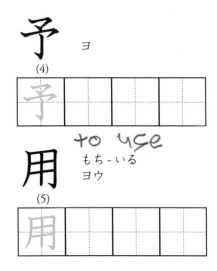

予　ヨ
(4)

become fixed
定　さだ-まる　さだ-める　さだ-か
テイ　ジョウ
(8)

to use
用　もち-いる
ヨウ
(5)

事　こと
ジ　ズ
(8)

## 漢字を読みましょう

① 旅行の予定を決める。
② テレビの天気予報をチェックする。
③ 父は来年、定年を迎える。
④ 彼の行き先は定かではない。
⑤ 学校の規則を定める。
⑥ この機械は広く用いられている。
⑦ 子ども用のいすを買う。
⑧ 出世のために人を利用する。
⑨ 急な用事で外出する。
⑩ 大事な写真をしまっておく。

| ① | ② ほう | ③ | ④ | ⑤ |
|---|---|---|---|---|
| ⑥ | ⑦ | ⑧ | ⑨ | ⑩ |

## 漢字を書きましょう

① 毎日、授業のよしゅうを行う。
② 彼はなかなか仕事がさだまらない。
③ じょうぎで線を引く。
④ げんこうようしに作文を書いた。
⑤ ことの成り行きを見守る。
⑥ 電気こうじが行われる。
⑦ ならいごとを始める。
⑧ しょくじの準備をする。

| ① | ② | ③ 規 | ④ |
|---|---|---|---|
| ⑤ | ⑥ | ⑦ | ⑧ |

とくべつな言葉……好事家

# 生活　復習
せいかつ　　ふくしゅう

## 【1】漢字の読み方を書いてください。
かんじ　　よ　かた　か

1. 寝室にはベッドと小さな本だなしか置いていない。
   しんしつ　　　　　　　　　ちい　　ほん　　　　　　お

2. 年末年始は実家に帰って、のんびりしたい。
   ねんまつねんし　じっか　かえ

3. 天気がいいので布団を干した。
   てんき　　　　　　ふとん　ほ

4. 先週、この交差点で車のじこが起きた。
   せんしゅう　　こうさてん　くるま　　　　　お

5. 四人兄弟の末っ子だったので、みんなにかわいがられた。
   よにんきょうだい　すえ こ

6. 母が編んでくれた手袋を今も大切にしている。
   はは　あ　　　　　　てぶくろ　いま　たいせつ

7. 毎日の生活にテレビは欠かすことができない。
   まいにち　せいかつ　　　　　　か

8. きれいに洗濯物をたたむのが苦手だ。
   せんたくもの　　　　　　　にがて

9. 熱湯を入れたら、ふたをして3分待ってください。
   ねっとう　い　　　　　　　　　　ぷんま

10. ゴミを燃やすのに、たくさんの税金が使われている。
    も　　　　　　　　　　　ぜいきん　つか

| | |
|---|---|
| 1 | |
| 2 | |
| 3 | |
| 4 | |
| 5 | |
| 6 | |
| 7 | |
| 8 | |
| 9 | |
| 10 | |

## 【2】漢字を書いてください。
かんじ　か

1. 毎朝はやおきをして、子どもとジョギングをしている。
   まいあさ　　　　　　　　　こ

2. 今年の夏休みは北海道に行くよていだ。
   ことし　なつやす　ほっかいどう　い

3. このシステムは世界中で広くもちいられている。
   せかいじゅう　ひろ

4. 汗をかいたので、シャワーをあびてさっぱりしたい。
   あせ

5. 月に二回、ボランティアでゴミひろいをしている。
   つき　にかい

6. ゴミを自分勝手にすてる人が多くて、困っている。
   じぶんかって　　　　ひと　おお　　こま

7. ていねんで40年間つとめた会社を退職する。
   ねんかん　　　　　かいしゃ　たいしょく

8. 毎週きんようびに、スペイン語を習っている。
   まいしゅう　　　　　　　　　ご　なら

9. すみません。おてあらいはどちらですか。

10. だいじな約束を忘れて、恋人を怒らせた。
    やくそく　わす　　こいびと　おこ

| | |
|---|---|
| 1 | |
| 2 | |
| 3 | |
| 4 | |
| 5 | |
| 6 | |
| 7 | |
| 8 | |
| 9 | |
| 10 | |

押 お-す お-さえる オウ (8)
引 ひ-く ひ-ける イン (4)

取 と-る シュ (8)
消 き-える け-す ショウ (10)

## 漢字を読みましょう
かんじ よ

① ボタンを押して、係の人を呼ぶ。
② この書類にはサインと押印が必要だ。
③ きずぐちをハンカチで押さえた。
④ 高いところは、こしが引ける。
⑤ プロジェクトを強引に進める。
⑥ 投げたボールを取る。
⑦ 新聞の取材を受ける。
⑧ ろうそくの火が消える。
⑨ タバコの火を消す。
⑩ 消防車が十台出動した。

| ① | ② いん | ③ | ④ | ⑤ |
|---|---|---|---|---|
| ⑥ | ⑦ ざい | ⑧ | ⑨ | ⑩ ぼう |

## 漢字を書きましょう
かんじ か

① 電車でせなかをおされた。
② 馬のたづなをひく。
③ 火がガソリンにいんかした。
④ 銀行でお金をひきだす。
⑤ 有名な小説からいんようする。
⑥ 忘年会の予約をとりけす。
⑦ けしゴムをゆかに落とした。
⑧ 天ぷらはしょうかに悪い。

| ① | ② | ③ | ④ |
|---|---|---|---|
| ⑤ | ⑥ | ⑦ | ⑧ |

# 室内2
しつない

戸　とコ
(4)

窓　まどソウ
(11)

階　カイ
(12)

段　ダン
(9)

## 漢字を読みましょう
かんじ　よ

① <u>戸</u>が閉まる。
し

② <u>あみ戸</u>のおかげで<u>虫</u>が<u>入</u>らない。
むし　はい

③ 外国に<u>門戸</u>を開く。
がいこく　ひら

④ <u>窓</u>をあけて<u>空気</u>を入れかえる。
くうき

⑤ <u>窓</u>ガラスをきれいにふく。

⑥ <u>車窓</u>からのながめは<u>最高</u>だった。
さいこう

⑦ パソコン<u>売り場</u>は<u>六階</u>です。
う　ば

⑧ ゆっくり<u>階段</u>を<u>下</u>る。
くだ

⑨ <u>神社</u>の<u>石段</u>を<u>上</u>る。
じんじゃ　のぼ

⑩ <u>目的</u>のためには<u>手段</u>を<u>選</u>ばない。
もくてき　えら

| ① | ② | ③ | ④ | ⑤ |
|---|---|---|---|---|
| ⑥ | ⑦ | ⑧ | ⑨ | ⑩ |

## 漢字を書きましょう
かんじ　か

① <u>いどみず</u>を<u>飲</u>む。
の

② <u>いっこだて</u>を<u>建</u>てる。
た

③ <u>どうそうかい</u>に<u>出</u>る。
で

④ <u>まど</u>ガラスが、われてしまった。

⑤ 銀行の<u>まどぐち</u>で<u>手続き</u>をする。
ぎんこう　てつづ

⑥ エレベーターが<u>四かい</u>に<u>止</u>まった。
よん　と

⑦ <u>らせんかいだん</u>を<u>下</u>りる。
お

⑧ <u>だんかい</u>を<u>追</u>って<u>説明</u>する。
お　せつめい

| ① 井 | ② | ③ | ④ |
|---|---|---|---|
| ⑤ | ⑥ | ⑦ | ⑧ |

# 植物
### しょくぶつ

**植** う-わる う-える
ショク
(12)

| 植 | | | | |

**葉** は
ヨウ
(12)

| 葉 | | | | |

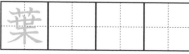

**実** みの-る み
ジツ
(8)

| 実 | | | | |

**根** ね
コン
(10)

| 根 | | | | |

## 漢字を読みましょう
### かんじ　よ

① 山に木を植える。
　　やま

② ベランダで植物を育てる。
　　　　　　　　　　　　　そだ

③ 移植手術を受ける。
　　しゅじゅつ

④ いちょうの葉が黄色くなる。
　　　　　　　　　　きいろ

⑤ 新しい言葉を覚える。
　　あたら　　こと　おぼ

⑥ 落ち葉をほうきで集める。
　　お　　　　　　　　あつ

⑦ トマトの実がなった。

⑧ 夢を実現させる。
　　ゆめ

⑨ 正月に実家に帰る。
　　しょうがつ　　か　え

⑩ 木を根元から切り倒す。
　　き　　　　　　き　たお

| ① | ② | ③ い | ④ | ⑤ |
|---|---|---|---|---|
| ⑥ | ⑦ | ⑧ 　　　　げん | ⑨ | ⑩ |

## 漢字を書きましょう
### かんじ　か

① 畑にじゃがいもがうわっている。
　　はたけ

② うえきに水をやる。
　　　　　　みず

③ こうようを見に行く。
　　　　み　　い

④ 努力がみを結ぶ。
　　どりょく　　むす

⑤ じつりょくを試す。
　　　　　　ため

⑥ 木のねを薬として飲む。
　　き　　　くすり　　の

⑦ やねにつもった雪を下ろす。
　　　　　　ゆき　お

⑧ 考え方がこんぽんからちがう。
　　かんが　かた

| ① | ② | ③ | ④ |
|---|---|---|---|
| ⑤ | ⑥ | ⑦ | ⑧ |

## とくべつな言葉……紅葉
### ことば　　　こうよう・もみじ

# 建築
けんちく

建　た-つ　た-てる
　　ケン　コン
(9)

| 建 | | | |
|---|---|---|---|

築　きず-く
　　チク
(16)

| 築 | | | |
|---|---|---|---|

構　かま-う　かま-える
　　コウ
(14)　、

| 構 | | | |
|---|---|---|---|

造　つく-る
　　ゾウ
(10)

| 造 | | | |
|---|---|---|---|

## 漢字を読みましょう

① 家の前にマンションが建つ。
　いえ　まえ

② 新しく寺を建立する。
　あたら　てら

③ ていぼうを築く。

④ 古いアパートを改築する。
　ふる

⑤ 新築マンションを買う。
　　　　　　　　　か

⑥ 一等地に店を構える。
　いっとうち　みせ

⑦ 機械の内部構造を知る。
　きかい　ないぶ　　　し

⑧ 巨大な船を造る。
　きょだい　ふね

⑨ 木造の家でくらす。
　もくぞう　いえ

⑩ 造花のバラをかざる。

| ① | ② | ③ | ④　かい | ⑤ |
|---|---|---|---|---|
| ⑥ | ⑦ | ⑧ | ⑨ | ⑩ |

## 漢字を書きましょう

① マンションをたてる。

② 一級けんちく士を目指す。
　いっきゅう　　　し　めざ

③ 私の実家は今年でちく30年になる。
　わたし　じっか　ことし　　　　　ねん

④ 番組をこうせいする。
　ばんぐみ

⑤ 駅のこうないにレストランが出来た。
　えき　　　　　　　　　　　でき

⑥ 彼は身なりに全くかまわない人だ。
　かれ　み　　　まった　　　　　　ひと

⑦ あの橋は歴史的けんぞうぶつだ。
　　　はし　れきしてき

⑧ ぞうせん業で有名な町。
　　　　ぎょう　ゆうめい　まち

| ① | ② | ③ | ④ |
|---|---|---|---|
| ⑤ | ⑥ | ⑦ | ⑧ |

# 室内３
しつない

 設　もう-ける　セツ
(11)

 柱　はしら　チュウ
(9)

 庫　コ　ク
(10)

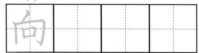 向　む-く　む-ける　む-かう　む-こう　コウ
(6)

## 漢字を読みましょう

① 新しいルールを設ける。
② 建設会社で働く。
③ パソコンのメールを設定する。
④ 太い柱が家を支えている。
⑤ 電柱に車がぶつかった。
⑥ 金庫に金を入れる。
⑦ 彼女は下を向いたまま、だまっている。
⑧ 急いでイベント会場へ向かう。
⑨ 通りの向こうに人が集まっている。
⑩ 進行方向を指さす。

| ① | ② | ③ | ④ | ⑤ |
|---|---|---|---|---|
| ⑥ | ⑦ | ⑧ | ⑨ | ⑩ |

## 漢字を書きましょう

① ビルをせっけいする。
② 会社をせつりつする。
③ けんせつ中のビル。
④ 彼はチームのだいこくばしらだ。
⑤ しゃこにバイクを止める。
⑥ 自分にむいた仕事は何か考える。
⑦ 大会にむけて練習する。
⑧ こうじょうしんのある学生。

| ① | ② | ③ | ④ |
|---|---|---|---|
| ⑤ | ⑥ | ⑦ | ⑧ |

とくべつな言葉……庫裏
ことば　くり

# 家　復習
ふくしゅう

## 【1】漢字の読み方を書いてください。
かんじ　よ　かた　か

1. 使わない部屋の電気は消すようにしている。
つか　へや　でんき

2. チームの大黒柱だった選手が海外のクラブに移った。
せんしゅ　かいがい　うつ

3. 駅から近い新築のマンションにひっこした。
えき　ちか

4. 古い木造のアパートに住んでいる。
ふる　す

5. 駅のホームで押されて、転びそうになった。
えき　ころ

6. テストでは自分の実力が試される。
じぶん　ため

7. やっと一戸建てのマイホームを買うことができた。
か

8. 50キロもある金庫がぬすまれたというニュースを見た。
み

9. 緑をふやすために、山に多くの木を植えた。
みどり　やま　おお　き

10. この寺は100年前に建立された。
てら　ねんまえ

| | |
|---|---|
| 1 | |
| 2 | |
| 3 | |
| 4 | |
| 5 | |
| 6 | |
| 7 | |
| 8 | |
| 9 | |
| 10 | |

## 【2】漢字を書いてください。
かんじ　か

1. 11月の連休あたりにこうようを見に行きたい。
がつ　れんきゅう　み　い

2. 彼は自分の店をかまえるのが夢だ。
かれ　じぶん　みせ　ゆめ

3. 雨もりがひどいので、やねをしゅうりした。
あま

4. かいだんから落ちて、足をねんざした。
お　あし

5. 駅前のビルをせっけいすることになった。
えきまえ

6. インフルエンザにかかって、旅行の予約をとりけした。
りょこう　よやく

7. 上をむいたら、ベランダから彼が手をふっていた。
うえ　かれ　て

8. ちく100年になる有名な旅館に泊まった。
ねん　ゆうめい　りょかん　と

9. 子どもが近所の家のまどガラスをわってしまった。
こ　きんじょ　いえ

10. ごういんなやり方では何事もうまくいかないだろう。
かた　なにごと

| | |
|---|---|
| 1 | |
| 2 | |
| 3 | |
| 4 | |
| 5 | |
| 6 | |
| 7 | |
| 8 | |
| 9 | |
| 10 | |

# 1章・2章　アチーブメントテスト

【1】次の文の下線をつけた言葉の読み方を①～④の中から選び、番号を書いてください。

1. トラックの燃料を補給して、目的地に向かう。

① ねんしょう　　② りょうねん　　③ ねんりょう　　④ ぜんりょう

2. あの寺は100年以上前に建立された。

① けんりつ　　② けんりゅう　　③ こんりつ　　④ こんりゅう

3. 海に近いこの町では、どこの家でも魚の干物を作っている。

① かんぶつ　　② ひもの　　③ ひぶつ　　④ かんもの

4. 入浴中に友人から電話がかかってきた。

① にゅよく　　② いりよく　　③ じんよく　　④ にゅうよく

5. 北海道にある実家には、年に一度しか帰らない。

① じついえ　　② じつか　　③ じっか　　④ じっけ

| 1 | | 2 | | 3 | | 4 | | 5 | |
|---|---|---|---|---|---|---|---|---|---|

【2】次の文の下線をつけた言葉の書き方を①～④の中から選び、番号を書いてください。

1. 駅前の一等地に、自分の店をかまえることができた。

① 追える　　② 備える　　③ 構える　　④ 築える

2. 必ず授業のよしゅうをしてきてください。

① 予習　　② 子習　　③ 与習　　④ 代習

3. 彼とはこんぽん的に考え方がちがう。

① 値元　　② 根元　　③ 値本　　④ 根本

4. 有名な映画のセリフをいんようする。

① 院用　　② 引用　　③ 引要　　④ 院要

5. パソコンがかたまったので再きどうさせた。

① 気動　　② 期動　　③ 起動　　④ 赴動

| 1 | | 2 | | 3 | | 4 | | 5 | |
|---|---|---|---|---|---|---|---|---|---|

**【3】①〜⑳の下線部の漢字または読み方を書いてください。**

---

## マイホーム

　今年の春に結婚が決まったので、新しく住む家を探し始めた。マンションにするか①一戸建てにするか、まだまよっているけれど、先週の②にちようびに、彼と気になる物件を見に行ってきた。

　一つ目の物件は、③新築の大型マンション。じしんに強い④こうぞうが売りになっていて、万一に備え地下に水や食べ物の保管スペースが⑤造られている。その上、じしんなどで電気やガスがストップした場合でも24時間⑥お湯が使える仕組みになっていると聞いておどろいた。また、マンション内のすべての⑦かいだんには手すりが付いているので、子どもにも安心だし、ジムやキッズルームなどもととのっている。そして、マンションから駅まで続く道には、たくさんの木や花が⑧植えられていて、春にはさくら、秋には⑨こうようが楽しめるのもいい。こんなマンションだったら安心して子育てができそうだ。

　次の物件は、⑩みなみむきの一戸建て。町の高台にあり、部屋の大きな⑪まどからは町全体を見わたすことができる。自然も多く、静かな⑫せいかつができそうだ。近くには有名な⑬建築家が⑭せっけいした大きな公園もある。⑮週末に⑯はやおきをして、公園をジョギングしたり、⑰森林浴をするのもいいなあ。駅からは少し遠いが、買い物には車を使うつもりだし、家の前の⑱しゃこには、車が二台止められることも気に入った。

　どちらにするか、まよってしまうけれど、3月の⑲すえには新しい家にひっこす⑳よていなので、今から少しずつ準備しなければ‥。

---

| ① | ② | ③ | ④ |
|---|---|---|---|
| ⑤ | ⑥ | ⑦ | ⑧ |
| ⑨ | ⑩ | ⑪ | ⑫ |
| ⑬ | ⑭ | ⑮ | ⑯ |
| ⑰ | ⑱ | ⑲ | ⑳ |

# 1章・2章　クイズ

【1】Ⓐと Ⓑを組み合わせて、文に合う一つの漢字を作ってください。
（く　あ　　ぶん　あ　ひと　　かんじ　つく）

Ⓐ
才　代　羽　才　木

Ⓑ
立　合　衣　直　甲

1. 大学を卒業した ⬜ 年、カナダに留学した。
（だいがく　そつぎょう）　　　（とし）　　　　　　　（りゅうがく）

2. ボタンを ⬜ したのに、ジュースが出てこない。
（で）

3. 落としたさいふを親切な人が ⬜ ってくれた。
（お）　　　　　　（しんせつ　ひと）

4. スーパーに行くとき、買い物 ⬜ をいつも持っていく。
（い）　　　（か　もの）　　　　　　　（も）

5. 春に ⬜ えたトマトの実がなった。
（はる）　　　　　　　　（み）

【2】留学生のジュンさんにインタビューしました。会話の中に出てくる言葉を考えて、
（りゅうがくせい）　　　　　　　　　　　　　（かいわ　なか　で　　ことば　かんが）
漢字で書いてください。（Ⅰ：インタビュアー）
（かんじ　か）

Ⅰ：日本の 生① ⬜ はどうですか。毎日いそがしいですか。
（にほん）　　　　　　　　　　　　（まいにち）

ジュン：そうですね。日本に来るまで、家族とくらしていたので、朝早く ② ⬜ きて、
　　　　　　　　（にほん　く）　　（かぞく）　　　　　　　　（あさはや）

③ ⬜ 濯 したりするのが大変です。
　　　　　　　　（たいへん）

それから今は、なれましたが、来日したばかりの時は ④ ⬜ えるゴミと ⑤ ⬜ えない
（いま）　　　　　　　　（らいにち）　　　　（とき）

ゴミを細かく分けなければならないことがストレスでした。
（こま　わ）

Ⅰ：そうですよね。なれないうちは大変だと思います。
（たいへん　おも）

ところで、ジュンさんは大学の近くにお住まいですか。
（だいがく　ちか　　す）

ジュン：はい。⑥ ⬜ 30年以上の古いアパートですが、部屋の ⑦ ⬜ から東京タワーも見え
（ねん　いじょう　ふる）　　　　（へや）　　　　　　（とうきょう）　　（み）

るし、気に入っています。
（き　い）

Ⅰ：授業が終わってから、アルバイトなどしているんですか。
（じゅぎょう　お）

ジュン：ええ。毎週 ⑧ 金 ⬜ 日 に英語を教えるアルバイトをしています。近くのビル
（まいしゅう）　　　　　　　　　（えいご　おし）　　　　　　　　　　（ちか）

⑨ の 一 ⬜ にあるカフェで教えているんです。
（おし）

Ⅰ：そうですか。勉強もアルバイトもがんばってくださいね。
（べんきょう）

本日はありがとうございました。
（ほんじつ）

【3】 会話文に合うように（　　　）から正しい言葉を選んで、○をつけてください。

1. 部長：（昨晩・翌晩）は遅くまで残業していたみたいだね。

   部下：はい。来週のプレゼンの準備をしていたんです。

2. 友人A：やっと自分の店を（築く・構える）ことができて、うれしいよ。

   友人B：本当におめでとう。

3. 友人A：もみじの（葉・実）が赤く色づいて、きれいだね。

   友人B：そうだね。でも私はいちょうのほうが好きだなあ。

4. 部長：会社帰りに、みんなで軽く飲みに行くんですが、いっしょにどうですか。

   部下：ぜひ行きたいのですが、今日は（用事・大事）があって‥。

   すみません。また、さそってください。

【4】 □ の中にあてはまる漢字を下の □ から選んで書いてください。

1.
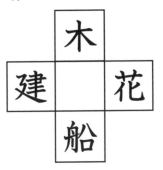

2.

3.

4.

| 設 | 築 | 引 | 事 | 押 | 消 | 造 |

# 作る 1
（つく）

熱
あつ-い
ネツ
(15)

熱

冷
ひ-える　ひ-やす　さ-める　さ-ます
ひ-やかす　つめ-たい　ひ-や
レイ
(7)

冷

温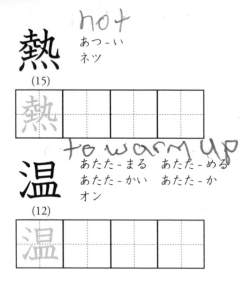
あたた-まる　あたた-める
あたた-かい　あたた-か
オン
(12)

温

度
たび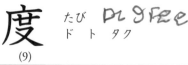
ド　ト　タク
(9)

度

## 漢字を読みましょう
（かんじ　よ）

① 熱いコーヒーでしたをやけどする。

② インフルエンザにかかり高熱が出た。
（で）

③ 寒さで体がすっかり冷えてしまった。
（さむ　からだ）

④ ビールを冷やしておく。

⑤ 冷たいジュースを一気に飲んだ。
（いっき　の）

⑥ 気持ちが冷めて、恋人とわかれた。
（きも　こいびと）

⑦ スープを飲んだら、体が温まった。
（の　からだ）

⑧ 温かいおふろにつかってつかれを取る。
（と）

⑨ 日本では温度を「セ氏」で表す。
（にほん　し　あらわ）

⑩ この度はお世話になりました。
（せわ）

| ① | ② | ③ | ④ | ⑤ |
|---|---|---|---|---|
| ⑥ | ⑦ | ⑧ | ⑨ | ⑩ |

## 漢字を書きましょう
（かんじ　か）

① ねっしんに勉強する。
（べんきょう）

② お酒をひやで飲む。
（さけ　の）

③ 新婚の二人をみんなでひやかす。
（しんこん　ふたり）

④ 薬を飲んで熱をさます。
（くすり　の　ねつ）

⑤ あたたかな気持ちになる。
（きも）

⑥ 電子レンジでおにぎりをあたためる。
（でんし）

⑦ たいおんけいで熱を計る。
（ねつ　はか）

⑧ 早起きして朝食のしたくをする。
（はやお　ちょうしょく）

| ① | ② | ③ | ④ |
|---|---|---|---|
| ⑤ | ⑥ | ⑦ | ⑧ 支（し） |

とくべつな言葉……法度
（ことば）　（はっと）

# 作る2
つく

(machine goods)
model type;
size [clothing, shoes]

## 材 ザイ
(7)

## 型 かた　ケイ
(9)

## 焼 や-ける　や-く　ショウ
(12)

## 器 うつわ　キ
(15)

1) bowl; container
2) ability

## 漢字を読みましょう
かんじ　よ

① ケーキの<u>材料</u>を買いそろえる。

② 古い<u>木材</u>を再利用する。
　ふる　　さいりよう

③ 彼は<u>型</u>にはまった答えしか言わない。
　かれ　　こた　　い

④ 鼻水と熱は<u>典型的</u>なかぜの<u>症状</u>だ。
　はなみず　ねつ　　　　　　　　　しょうじょう

⑤ 飛行機の<u>模型</u>をかざる。
　ひこうき

⑥ <u>焼</u>いたパンとコーヒーが毎朝の食事だ。
　　　　　　　　　　　　　まいあさ　しょくじ

⑦ <u>延焼</u>を防ぐために、必死に<u>消火</u>する。
　　　ふせ　　　　ひっし　しょうか

⑧ <u>日焼</u>けしすぎて、全身真っ赤になった。
　　　　　　　　　ぜんしんま　か

⑨ 料理を<u>器</u>にもってテーブルに<u>運</u>ぶ。
　りょうり　　　　　　　　はこ

⑩ 夕食に使った<u>食器</u>を<u>洗</u>う。
　ゆうしょく　つか　　　　あら

| ① | ② | ③ | ④ てん　てき | ⑤ も |
|---|---|---|---|---|
| ⑥ | ⑦ えん | ⑧ | ⑨ | ⑩ |

## 漢字を書きましょう
かんじ　か

① <u>そざい</u>をいかした料理。
　　　　　　　　　りょうり

② 人生を小説の<u>ざいりょう</u>にする。
　じんせい　しょうせつ

③ 優れた<u>じんざい</u>を集める。
　すぐ　　　　　　あつ

④ <u>人気者</u>の<u>友人</u>にやきもちを<u>やく</u>。
　にんきもの　ゆうじん

⑤ パンが<u>やける</u>いいにおいがする。

⑥ ガラスの<u>ようき</u>に入ったジャム。
　　　　　　　　　　はい

⑦ 彼は社長の<u>うつわ</u>ではない。
　かれ　しゃちょう

⑧ 手先が<u>きよう</u>な<u>人</u>。
　てさき　　　　　ひと

| ① 素 | ② | ③ | ④ |
| そ | | | |
| ⑤ | ⑥ 容 | ⑦ | ⑧ |
| | よう | | |

# 食材 1
しょくざい

卵 *egg*
たまご
ラン
(7)

| 卵 | | | |
|---|---|---|---|

乳 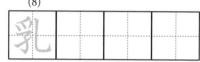 *milk, breast*
ちち　ち
ニュウ
(8)

| 乳 | | | |
|---|---|---|---|

粉 *flour*
こな　こ
フン *powder*
(10)

| 粉 | | | |
|---|---|---|---|

塩 *salt*
しお
エン
(13)

| 塩 | | | |
|---|---|---|---|

## 漢字を読みましょう
かんじ　よ

① 卵をわって、ボールに入れる。

② 卵白にさとうを入れてよくあわ立てる。

③ 山羊の乳を使ったチーズはおいしい。
やぎ

④ 永久歯が生え始め、乳歯がぬける。
えいきゅうし　は　はじ　だ

⑤ 小麦粉はしっかりふるってください。
こむぎこ

⑥ 粉末スープにお湯を入れる。
ゆ

⑦ 毎日、食後に二種類の粉薬を飲む。
まいにち　しょくご　にしゅるい　の

⑧ 塩味のラーメンを注文する。
しおあじ　ちゅうもん

⑨ 塩をひとつまみ入れると味が変わる。
い　あじ　か

⑩ じょうすいきで水道の塩素を取る。
すいどう　と

| ① | ② | ③ | ④ | ⑤ |
|---|---|---|---|---|
| ⑥ | ⑦ | ⑧ | ⑨ | ⑩ |

## 漢字を書きましょう
かんじ　か

① ゆでたまごの黄身は半じゅくがおいしい。
きみ　はん

② ウミガメが海辺でさんらんする。
うみべ

③ ぎゅうにゅうパックを再利用する。
さいりよう

④ ち飲み子をかかえて、働きに出る。
の　はたら　で

⑤ 地球上のほにゅうるいは約五千種だ。
ちきゅうじょう　やくごせんしゅ

⑥ 寒さがきびしくなり、こなゆきがちらつく。
さむ

⑦ 春になるとかふんが大量に飛ぶ。
はる　たいりょう　と

⑧ えんぶんのとりすぎはよくない。

| ① | ② 産 | ③ | ④ |
|---|---|---|---|
| | さん | | |
| ⑤ 哺　　　類 | ⑥ | ⑦ | ⑧ |
| ほ　　　るい | | | |

# 食材２
しょくざい

菜　な　サイ

*greasi vegetables* (handwritten)

(11)

| 菜 | | | |
|---|---|---|---|

果　は-たす　は-てる　は-て　カ

*to accomplish* (handwritten)

(8)

| 果 | | | |
|---|---|---|---|

豆　まめ　トウ　ズ

*legume* (handwritten)

(7)

| 豆 | | | |
|---|---|---|---|

缶　カン

*can;tin* (handwritten)

(6)

| 缶 | | | |
|---|---|---|---|

## 漢字を読みましょう
かんじ　よ

① 緑黄色野菜をたくさん食べる。
りょくおうしょく　た

② 春になると菜の花で一面黄色になる。
はる　　　　　　　　　　いちめん　きいろ

③ 日ごろの練習の成果を出す。
ひ　　　れんしゅう　　　だ

④ 何があっても彼女との約束を果たす。
なに　　　　かのじょ　　やくそく

⑤ いろいろな果実酒を作る。
つく

⑥ 低カロリーの豆腐はダイエットにいい。
てい

⑦ ２月のせつぶんの日は豆まきをする。
がつ　　　　　　ひ

⑧ 大豆からしょう油やみそが作られる。
　　　　　　　　ゆ　　　　　つく

⑨ 川辺の空き缶を拾う活動にさんかする。
かわべ　あ　　ひろ　かつどう

⑩ 缶コーヒーを飲んで一休みする。
の　　　ひとやす

| ① | ② | ③ せい | ④ | ⑤ |
|---|---|---|---|---|
| ⑥ 　　　ふ | ⑦ | ⑧ | ⑨ | ⑩ |

## 漢字を書きましょう
かんじ　か

① なまやさいのサラダを食べる。
た

② 家庭さいえんでトマトを育てる。
かてい　　　　　　　　　そだ

③ 働きすぎてつかれはてた。
はたら

④ 世界のはてまで旅をしたい。
せかい　　　　　　たび

⑤ 数種類のコーヒーまめをブレンドする。
すうしゅるい

⑥ まめ知識が豊富な人。
ちしき　ほうふ　ひと

⑦ コンビニでかんチューハイを買う。
か

⑧ かんづめを使ったかんたんな料理。
つか　　　　　　　　りょうり

| ① | ② | ③ | ④ |
|---|---|---|---|
| ⑤ | ⑥ | ⑦ | ⑧ |

とくべつな言葉……　果物、小豆
　　　　　ことば　　　くだもの　あずき

27

# 単位
たんい

cup for
alcoholic drinks

## 杯
さかずき
ハイ
(8)

| 杯 | | | |
|---|---|---|---|

counter
for flat
objects

## 枚
マイ
(8)

| 枚 | | | |
|---|---|---|---|

counter for
small animals

## 匹
ひき
ヒツ
(4)

| 匹 | | | |
|---|---|---|---|

## 量
はか-る
リョウ
(12)

| 量 | | | |
|---|---|---|---|

## 漢字を読みましょう
かんじ　　よ

① 杯にお酒をなみなみと注ぐ。
さけ　　　　　　　そそ

② 一杯飲んでから帰ることにする。
の　　　　　かえ

③ 二人の幸せを願って乾杯した。
ふたり　しあわ　ねが

④ コピーしたプリントの枚数を確認する。
かくにん

⑤ モデルの彼はさすがに二枚目だ。
かれ

⑥ 道に二匹の子猫が捨てられている。
みち　　　　こねこ　す

⑦ 彼はプロに匹敵する絵の才能を持つ。
かれ　　　　　　え　さいのう　も

⑧ おかし作りは計量がポイントだ。
づく

⑨ 分量をまちがえたのか、味がおかしい。
あじ

⑩ くうこうでは荷物の重量検査がある。
にもつ　　　　けんさ

| ① | ② | ③ 　かん | ④ | ⑤ |
|---|---|---|---|---|
| ⑥ | ⑦ 　　てき | ⑧ | ⑨ | ⑩ |

## 漢字を書きましょう
かんじ　か

① コーヒーをもういっぱい飲む。
の

② さかずきを交わす。
か

③ 魚をさんまいにおろす。
さかな

④ 八十円切手をごまい買う。
はちじゅうえんきって　　　か

⑤ にじっぴきの熱帯魚。
ねったいぎょ

⑥ 「さんびきの子ぶた」の物語を読む。
こ　　　　ものがたり　よ

⑦ ダイエットのために毎日体重をはかる。
まいにちたいじゅう

⑧ けいりょうでじょうぶな自転車。
じてんしゃ

| ① | ② | ③ | ④ |
|---|---|---|---|
| ⑤ | ⑥ | ⑦ | ⑧ |

# 料理　復習
りょうり　ふくしゅう

## 【1】漢字の読み方を書いてください。
かんじ　よ　かた　か

1. 熱湯を入れたら、ふたをして3分待ってください。
   い　　　　　　　　　　　　　ぶん ま

2. 今日は特に冷えるので、手袋・マフラーが必要です。
   きょう とく 　ひ　　　　　　てぶくろ　　　　　　　　ひつよう

3. 熱心に研究に取り組み、成果をあげる。
   ねっしん けんきゅう と く　　 せい

4. 仕事帰りにちょっと一杯飲む。
   し ごとがえ　　　　　　　　　の

5. スーパーで夕食のメニューの材料を買う。
   ゆうしょく　　　　　　　　　 か

6. 友人の結婚祝いに、食器セットをおくった。
   ゆうじん けっこんいわ

7. 卵の黄身だけをボールに入れてください。
   き み　　　　　　　 い

8. チョコレートケーキに粉ざとうをかけて、かざる。

9. 肉だけでなく、野菜もしっかり食べてください。
   にく　　　　　　　　　　 た

10. 大豆はダイエットにいい食べ物として女性に人気だ。
    た もの　　　 じょせい にんき

| | |
|---|---|
| 1 | |
| 2 | |
| 3 | せい |
| 4 | |
| 5 | |
| 6 | |
| 7 | |
| 8 | ・ |
| 9 | |
| 10 | |

## 【2】漢字を書いてください。
かんじ　か

1. スープがあつすぎて、なかなか飲めない。
   の

2. 暑くなったり寒くなったり、きおんの変化がはげしい。
   あつ　　　 さむ　　　　　　　　　　 へんか

3. 大人は子どもの成長をあたたかく見守るのが仕事だ。
   おとな こ　　 せいちょう　　　　　　 みまも　　　 しごと

4. 五千円を千円札ごまいにりょうがえしてもらう。
   ご せんえん せんえんさつ

5. 日にやけた顔で、海外旅行から帰って来た。
   ひ　　　　 かお　 かいがいりょこう　　 かえ き

6. クッキーの生地をいろいろなかたでぬく。
   き じ

7. せが伸びるようにと毎日ぎゅうにゅうを飲む。
   の　　　　　　　 まいにち　　　　　　　　　 の

8. 分量をはかったら、次は材料をまぜてください。
   ぶんりょう　　　　　 つぎ ざいりょう

9. けんこうを考えて、えんぶんをとりすぎないようする。
   かんが

10. 電車が雪で止まり、車内にかんづめになった。
    でんしゃ ゆき と　　　 しゃない

| | |
|---|---|
| 1 | |
| 2 | |
| 3 | |
| 4 | |
| 5 | |
| 6 | |
| 7 | |
| 8 | |
| 9 | |
| 10 | |

# 体
からだ

頭 あたま かしら
トウ ズ ト
(16)
頭

顔 かお
ガン
(18)
顔

首 くび
シュ
(9)
首

鼻 はな
ビ
(14)
鼻

## 漢字を読みましょう
かんじ よ

① 頭をなでて子どもをほめる。
こ

② 昨日からひどい頭痛が続いている。
きのう つづ

③ 社長が年頭のあいさつに立つ。
しゃちょう た

④ 朝起きてすぐに顔を洗う。
あさお あら

⑤ ボールが顔面に当たり鼻血が出た。
あ はなぢ で

⑥ 寝ちがえて首が回らない。
ね まわ

⑦ 二位のチームが逆転して首位に立つ。
にい ぎゃくてん た

⑧ かぜをひいて鼻水が出る。
で

⑨ 有名大学に合格して鼻が高い。
ゆうめいだいがく ごうかく たか

⑩ 耳の調子が悪く、耳鼻科へ行く。
みみ ちょうし わる い

| ① | ② | ③ | ④ | ⑤ めん |
|---|---|---|---|---|
| ⑥ | ⑦ い | ⑧ | ⑨ | ⑩ |

## 漢字を書きましょう
かんじ か

① 受験科目にこうとう試験がある。
じゅけんかもく しけん

② 名前のかしらもじを書く。
なまえ か

③ 友人をえがおで出迎える。
ゆうじん でむか

④ 大人かおまけの知識がある。
おとな ちしき

⑤ じょうしのかおいろをうかがう。

⑥ 会社をくびになる。
かいしゃ

⑦ 歴代のしゅしょうを調べる。
れきだい しら

⑧ はなにかかった声であまえる。
こえ

| ① | ② | ③ 笑 え | ④ 負け ま |
|---|---|---|---|
| ⑤ | ⑥ | ⑦ 相 しょう | ⑧ |

## とくべつな言葉…… 音頭
ことば おんどう・おんど

# 呼吸
こ きゅう

呼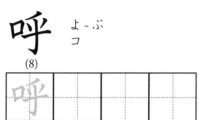
よ-ぶ
コ
(8)

吸
す-う
キュウ
(6)

息
いき
ソク
(10)

汗
あせ
カン
(6)

## 漢字を読みましょう

① 出欠を取るために学生の名前を呼ぶ。
② 火事に気付き、大声で助けを呼ぶ。
③ ここでタバコを吸わないでください。
④ 深呼吸して気持ちを落ち着かせる。
⑤ しんせんな空気を吸う。
⑥ 休息の時間をたっぷり取る。
⑦ 向こうから息を切らして走ってくる。
⑧ びっくりして息が止まるかと思った。
⑨ 借りていたお金の利息をはらう。
⑩ たくさん運動して汗をかいた。

| ① | ② | ③ | ④ | ⑤ |
|---|---|---|---|---|
| ⑥ | ⑦ | ⑧ | ⑨ | ⑩ |

## 漢字を書きましょう

① 手を上げてタクシーをよぶ。
② こきゅうが苦しい。
③ そうじきで部屋のゴミをすい取る。
④ いきをはいたらガラスがくもった。
⑤ この部屋はなんだかいきぐるしい。
⑥ きんちょうしてあせが出る。
⑦ はずかしくてひやあせをかいた。
⑧ この食品にははっかん作用がある。

| ① | ② | ③ | ④ |
|---|---|---|---|
| ⑤ 　　　苦しい | ⑥ | ⑦ | ⑧ |

## とくべつな言葉…… 息子
ことば　むすこ

# 検査
けんさ

検 ケン
(12)

| 検 | | | |
|---|---|---|---|

査 サ
(9)

| 査 | | | |
|---|---|---|---|

歯 は　シ 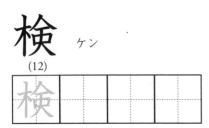 *toothi teeth*
(12)

| 歯 | | | |
|---|---|---|---|

痛 いた-む　いた-める　いた-い　ツウ
(12)

| 痛 | | | |
|---|---|---|---|

## 漢字を読みましょう

① 出かける前に火の元を点検する。
② だれも知らない土地を探検する。
③ 病気を調べるために検査する。
④ 学生が希望する進路を調査する。
⑤ くうこうで入国の査証を受ける。
⑥ 一さいをすぎて歯が生えてきた。
⑦ 虫歯のちりょうは大人でもこわい。
⑧ 永久歯に生え変わる。
⑨ 急におなかが痛くなり救急車を呼ぶ。
⑩ 階段で転んでひざに激痛が走った。

| ① | ② たん | ③ | ④ | ⑤ しょう |
|---|---|---|---|---|
| ⑥ | ⑦ | ⑧ えいきゅう | ⑨ | ⑩ げき |

## 漢字を書きましょう

① 近所のしか医院に通う。
② 二人の関係のはぐるまがくるう。
③ 寒さでひざがいたむ。
④ 赤字で頭がいたい。
⑤ けんさの結果が出る。
⑥ 火事のげんいんをけんしょうする。
⑦ 会議でけんとうしたうえで決める。
⑧ スピーチ大会のしんさいん。

| ① | ② | ③ | ④ |
|---|---|---|---|
| ⑤ | ⑥ 　証 しょう | ⑦ 　討 とう | ⑧ 審 しん 　員 いん |

# けが

血 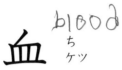 blood
ち
ケッ
(6)

液 エキ
(11)

包 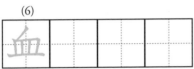 wrap; dress up; pack
つつ-む
ホウ
(5)

帯 liquid
お-びる　おび
タイ
(10)

## 漢字を読みましょう

① 道で転んで、ひざから血が出た。
② 血管がつまる病気になる。
③ 血統書付きの犬をかっている。
④ 犯行の手口があまりにも冷血だ。
⑤ 赤血球の量を調べる。
⑥ プレゼントをきれいに包んでもらう。
⑦ けがをしたところを包帯でまく。
⑧ 酒気帯び運転は法律で禁止されている。
⑨ じしんのひがいは関東一帯におよんだ。
⑩ 着物に合わせた帯をしめる。

| ① | ② かん | ③ とう | ④ | ⑤ きゅう |
|---|---|---|---|---|
| ⑥ | ⑦ | ⑧ | ⑨ | ⑩ |

## 漢字を書きましょう

① 歯ぐきからちが出る。
② ちのにじむような努力をする。
③ けっしょくのいい顔。
④ びんの中の茶色いえきたい。
⑤ 自分のけつえきがたを調べる。
⑥ 毛皮のコートに身をつつんだ女性。
⑦ クラスのれんたいかんを高める。
⑧ 子どももけいたい電話を持つ時代。

| ① | ② | ③ | ④ |
|---|---|---|---|
| ⑤ | ⑥ | ⑦ 感 | ⑧ 携 |

# 救急
きゅうきゅう

救　すく-う　キュウ
(11)

助　たす-かる　たす-ける　すけ　ジョ
(7)

死　し-ぬ　シ
(6)

亡　な-い　ボウ　モウ
(3)

## 漢字を読みましょう
かんじ　よ

① 燃える火の中から人を救う。
② 救急車で病院に運ばれる。
③ 救援のぶっしをヘリコプターで運ぶ。
④ この病気は手術をすれば助かる。
⑤ 道にまよっていた人を助ける。
⑥ せんぱいに助言を求める。
⑦ 海でおぼれている人を救助する。
⑧ かっていた犬が病気で死んだ。
⑨ キーパーがゴールを死守する。
⑩ 彼はけちでよくばりな金の亡者だ。

| ① | ② | ③　　　えん | ④ | ⑤ |
|---|---|---|---|---|
| ⑥ | ⑦ | ⑧ | ⑨　　　しゅ | ⑩ |

## 漢字を書きましょう
かんじ　か

① いのちをすくってくれた大切な人。
② きゅうきゅうばこを用意する。
③ 池に落ちた子どもをたすけた。
④ 失業者をきゅうさいする。
⑤ 親に学費をえんじょしてもらう。
⑥ 息子の大学の学費をほじょする。
⑦ 外国へぼうめいする。
⑧ 交通じこによるしぼうしゃが多い。

| ① | ②　　　　箱 | ③ | ④　　　　済 |
|---|---|---|---|
| ⑤　援 | ⑥　補 | ⑦ | ⑧ |

## とくべつな言葉……　助だち
ことば　　　　すけ

34

## 病院　復習
びょういん　ふくしゅう

【1】漢字の読み方を書いてください。
かんじ　よ　かた　か

1. 頭がよくてハンサムな彼はクラスの人気者だ。
かれ　にんきもの

2. ライバルチームとの首位争いに勝つ。
あらそ　か

3. ライフセーバーが、おぼれている子どもを救った。
こ

4. 全速力で走ったせいで呼吸がみだれた。
ぜんそくりょく　はし

5. 耳の調子がよくないので耳鼻科に行った。
みみ　ちょうし　い

6. ジョギングをして、汗をたくさんかいた。

7. ひざにまいていた包帯がようやく取れた。
と

8. 指先をちょっと切っただけで、ひどく出血した。
ゆびさき　き

9. この辺りは死亡じこが多いので気をつけてください。
あた　おお　き

10. 道がわからず困っていたおばあさんを助けた。
みち　こま

| 1 | |
|---|---|
| 2 | い |
| 3 | った |
| 4 | |
| 5 | |
| 6 | |
| 7 | |
| 8 | |
| 9 | |
| 10 | |

【2】漢字を書いてください。
かんじ　か

1. 突然、めまいとひどいずつうにおそわれた。
とつぜん

2. むしばをよぼうするには、歯みがきが大切だ。
は　たいせつ

3. 寒さで、はくいきも白い。
さむ　しろ

4. あの子は大人かおまけの知識を持っている。
こ　おとな　ちしき　も

5. かぜをひいたのか、今朝からはなごえで困った。
けさ　こま

6. けんさの結果、問題なしとわかったので安心した。
けっか　もんだい　あんしん

7. このいったいは、建物がこわされて公園になる。
たてもの　こうえん

8. クラスでけつえきがたがAの人は何人ですか。
ひと　なんにん

9. 毎月五万円の仕送りがあるので生活がたすかる。
まいつき　ごまんえん　しおく　せいかつ

10. おなかが痛くなりきゅうきゅうしゃで病院に運ばれた。
いた　びょういん　はこ

| 1 | |
|---|---|
| 2 | |
| 3 | |
| 4 | 負け |
| 5 | |
| 6 | |
| 7 | |
| 8 | |
| 9 | |
| 10 | |

# 3章・4章　アチーブメントテスト

【1】次の文の下線をつけた言葉の読み方を①〜④の中から選び、番号を書いてください。

1. つめたく冷やしたビールを、一気に飲みほした。

　① ひやした　　② つめやした　　③ さまやした　　④ ひえやした

2. きっさ店で一杯のココアを飲みながら本を読んですごす。

　① いちまい　　② いっぴき　　③ いちはい　　④ いっぱい

3. ひっこしと同時に、新しい食器のセットを買った。

　① しょくき　　② しょっき　　③ たき　　④ たうつわ

4. ワインを友人にプレゼントするため、店員にきれいに包んでもらった。

　① まくんで　　② つずんで　　③ つつんで　　④ たたんで

5. 私にとって彼は、危ないところを救ってくれた大切な人だ。

　① たすって　　② すぐって　　③ きゅうって　　④ すくって

| 1 | | 2 | | 3 | | 4 | | 5 | |
|---|---|---|---|---|---|---|---|---|---|

【2】次の文の下線をつけた言葉の書き方を①〜④の中から選び、番号を書いてください。

1. 急いで飲んだコーヒーがあつくて、したをやけどしてしまった。

　① 暑くて　　② 厚くて　　③ 熱くて　　④ 冷くて

2. 友人を呼んでパーティーをするため、スーパーへしょくざいの買い出しに行く。

　① 食材　　② 食枚　　③ 食菜　　④ 食才

3. 志望校の試験科目には、筆記とこうとうがある。

　① 高当　　② 口頭　　③ 高頭　　④ 口顔

4. 大通りで大きく手をふってタクシーをよんだ。

　① 読んだ　　② 吸んだ　　③ 呼んだ　　④ 叫んだ

5. 窓を開けて外の空気を思い切りすった。

　① 吸った　　② 吹った　　③ 呼った　　④ 叫った

| 1 | | 2 | | 3 | | 4 | | 5 | |
|---|---|---|---|---|---|---|---|---|---|

**【3】** ①～⑳の下線部の漢字または読み方を書いてください。

私のしゅみはおかし作り。今日はバレンタインデーに彼にプレゼントするチョコレートケーキを作った。①材料はチョコレートとスポンジ用の②小麦粉、③たまご、④牛乳とかざり用のフルーツの⑤かんづめだけで、とてもかんたん。おかし作りのポイントは⑥分量をきちんと守ることだから、粉を⑦はかるときは思い切り⑧いきを止めて、ちょっと苦しくなった。

このケーキはチョコレートを⑨熱湯の入ったボールの中でとかしたら、⑩さめないうちにスポンジの生地とまぜて、⑪かたに入れて二百⑫どのオーブンで 15 分焼くだけ。フルーツでかざりつけしたらできあがり。きれいに⑬つつんでリボンをかけたら、完成。

その彼と出会ったのは 1 年前の高校受験の帰りのこと。道にまよって困っていた私を、彼が⑭たすけてくれたことがきっかけだった。⑮日焼けした顔にまっ白い⑯は、⑰笑顔がとてもすてきで、私の一目ぼれだった。⑱携帯電話の番号をこうかんして何度か会うようになり、付き合い始めた。

付き合うようになってから、彼がプロのサッカー選手になることを夢みて⑲ちのにじむような努力をしていることを知り、ますます好きになった。彼は今日もサッカー一部の練習に⑳あせを流している。

| ① | ② | ③ | ④ |
|---|---|---|---|
| ⑤ | ⑥ | ⑦ | ⑧ |
| ⑨ | ⑩ | ⑪ | ⑫ |
| ⑬ | ⑭ | ⑮ | ⑯ |
| ⑰　え | ⑱　けい | ⑲ | ⑳ |

# 3章・4章　クイズ

【1】下から漢字を選んで□に入れて言葉を完成させ、（　）に読み方を書いてください。

1. 山田
今日も一日おつかれさま。まずは、みんなで乾□しよう。
（　　　　　）

2. 田中
仕事の後は、やっぱり□たいビールにかぎる。
（　　　　　）

3. 川本
ビールに合うおつまみと言えば、えだ□と、生野□のスティック、
（　　　　　）（　　　　　）
あとは□き魚かな。
（　　　　　）

4. 石井
あー残業でつかれちゃった。コンビニで□チューハイでも買って帰ろう。
（　　　　　）

5. 松下
ビールを飲んだ後はどうしてラーメンが食べたくなるんだろう。
特に□味。
（　　　　　）

6. 上田
夕べ飲みすぎたせいか、頭□がする。二日酔いだ…。
（　　　　　）

| 菜 | 痛 | 焼 | 熱 | 塩 | 杯 | 粉 | 缶 | 豆 | 冷 |

【2】（　）には漢字一字が入ります。会話から（　）に入る漢字を考えてください。

1.　A：夕べ急に（　　　　　）が出て、たくさん（　　　　　）をかいているんです。

　　医者：インフルエンザかもしれません。まずは体（　　　　　）を測ってみましょう。

2.　B：包丁で切って（　　　　　）が止まらないんです。

　　医者：それは大変、すぐに包帯をしましょう。

3.　C：（　　　　　）がつまって、（　　　　　）吸が苦しいんです。

　　医者：そろそろ花粉のきせつですから、もしかすると…。

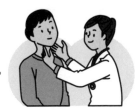

4.　D：体の調子がよくないんです。食欲もないし、つかれがとれないんです。

　　医者：では、血（　　　　　）の（　　　　　）査をしましょう。

【3】☐から言葉を選んで（　）に書き、レシピを完成させてください。

~いちごのショートケーキ~

■（①　　　　　）：

<スポンジ>　（②　　　　　）2こ、（③　　　　　）60グラム、さとう60グラム、

　　　　　　　バター20グラム、（④　　　　　）大さじ1、バニラオイル少々

<デコレーション>　生クリーム 3/4 カップ、さとう20グラム、

　　　　　　　いちご200グラム、ホワイトキュラソー大さじ1

　　　　　　　※ない場合は、ほかの（⑤　　　　　）を使う。

■作り方：

<スポンジ>

①小麦粉、さとう、バターを（⑥　　　　　）。小麦粉とさとうはふるっておく。

②ボールに卵を入れ、さとうもくわえて、まぜる。

③牛乳、バニラオイル、バターを入れてさらにまぜる。

④生地を（⑦　　　　　）に入れたら、オーブンで約10分（⑧　　　　　）。

　　　　　　　※前もって200（⑨　　　　　）に（⑩　　　　　）。

⑤スポンジが焼けたら、しばらく冷ます。

<デコレーション>

⑥ボールに材料を入てあわ立てて、ホイップクリームを作る。

⑦スポンジの間に切ったいちごをならべ、ケーキ全体にホイップクリームをぬる。

⑧ケーキにいちごをかざる。完成！

| 型 |
| 卵 |
| 度 |
| 材料 |
| 小麦粉 |
| 牛乳 |
| 果物 |
| 焼く |
| 温める |
| 量る |

# 勝負
しょう ぶ

戦　たたか-う　いくさ
　　セン
(13)

決　き-まる　き-める
　　ケツ
(7)

勝　か-つ　まさ-る
　　ショウ
(12)

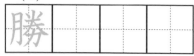

負　ま-ける　ま-かす　お-う
　　フ
(9)

## 漢字を読みましょう
かんじ　よ

① 次の試合でライバルと戦う。
　つぎ　しあい

② 負け戦でも投げ出さずにがんばる。
　　　　　な　　だ

③ プランを成功させるための作戦を練る。
　　　　せいこう　　　　　　　　　　ね

④ 優勝決定戦は来週行われる。
　ゆうしょう　　　　らいしゅうおこな

⑤ 会社を辞める決意をかためた。
　かいしゃ　や

⑥ 試合は私たちのチームの圧勝だった。
　しあい　わたし

⑦ 実力は田中より木村が勝っている。
　じつりょく　たなか　　きむら

⑧ あっという間に勝負が決まった。
　　　　　　ま　　　　き

⑨ 費用は各自で負担してください。
　ひよう　かくじ

⑩ 荷物を背負って歩く。
　にもつ　　　　ある

| ① | ② | ③ | ④ | ⑤ |
|---|---|---|---|---|
| ⑥ あっ | ⑦ | ⑧ | ⑨ 　　　　たん | ⑩ せ |

## 漢字を書きましょう
かんじ　か

① 世界チャンピオンにちょうせんする。
　せかい

② 苦しいたたかいをせいした。
　くる

③ 日本への留学をけっしんした。
　にほん　りゅうがく

④ たすうけつをとる。

⑤ クラスのリーダーをきめる。

⑥ けっしょうで勝利した。
　　　　　　　しょうり

⑦ 試合にまけてしまった。
　しあい

⑧ 口げんかで相手をまかした。
　くち　　　　あいて

| ① 挑 ちょう | ② | ③ | ④ |
|---|---|---|---|
| ⑤ | ⑥ | ⑦ | ⑧ |

# 大会
### たいかい

代  か-わる か-える よ しろ
ダイ タイ
(5)

| 代 | | | |
|---|---|---|---|

表 あらわ-れる あらわ-す おもて
ヒョウ
(8)

| 表 | | | |
|---|---|---|---|

第 ダイ
(11)

| 第 | | | |
|---|---|---|---|

回 まわ-る まわ-す
カイ エ
(6)

| 回 | | | |
|---|---|---|---|

## 漢字を読みましょう
### かんじ よ

① 父に代わって式に出た。
ちち か しき で

② この歌は 1980 年代にヒットした。
うた ねん

③ デートの食事代は私がはらった。
しき だい わたし

④ かちょうの代理で会議に出る。
だいり かいぎ で

⑤ 犯人は身の代金を要求した。
はんにん み だいきん ようきゅう

⑥ アンケートの結果を表にまとめる。
けっか

⑦ 言葉で表せないくらい感動した。
ことば あらわ かんどう

⑧ 洗濯する前に、服の表示を確認する。
せんたく まえ ふく ひょうじ かくにん

⑨ バスの回数券を買った。
かいすうけん か

⑩ 地球のまわりを月が回っている。
ちきゅう つき まわ

| ① | ② | ③ | ④ | ⑤ み |
|---|---|---|---|---|
| ⑥ | ⑦ | ⑧ じ | ⑨ けん | ⑩ |

## 漢字を書きましょう
### かんじ か

① 学生じだいを思い出す。
がくせい おも だ

② けがをしたのでこうたいした。

③ うれしさが顔にあらわれている。
かお

④ 家のおもてから入る。
いえ はい

⑤ サッカーの日本だいひょうに選ばれた。
にほん えら

⑥ 宿題は授業の最初にかいしゅうする。
しゅくだい じゅぎょう さいしょ

⑦ こまをまわしてあそぶ。

⑧ だいいっかい大会は東京で行われた。
たいかい とうきょう おこな

| ① | ② | ③ | ④ |
|---|---|---|---|
| ⑤ | ⑥ | ⑦ | ⑧ |

とくべつな言葉……八千代、回向院
ことば やちよ えこういん

# 記録 1
きろく

記 しる-す
　 キ
(10)

録 ロク
(16)

優 すぐ-れる　やさ-しい
　 ユウ
(17)

賞 ショウ
(15)

## 漢字を読みましょう
かんじ　よ

① 1日の出来事をノートに記す。
　 にち　で きごと

② 漢字を暗記する。
　 かんじ

③ 書類に必要なことを記入する。
　 しょるい　ひつよう

④ 英語のクラスに登録する。
　 えいご

⑤ 会議の議事録を書いた。
　 かいぎ　　　　　か

⑥ 好きなドラマをDVDに録画する。
　 す

⑦ 数学で優れた成績をとる。
　 すうがく　　　　せいせき

⑧ 初出場のチームが優勝した。
　 はっしゅつじょう

⑨ 仕事の優先順位をつける。
　 しごと　　　じゅんい

⑩ 大会で一位になり、賞状をもらった。
　 たいかい　いちい

| ① | ② | ③ | ④　とう | ⑤　ぎじ |
|---|---|---|---|---|
| ⑥ | ⑦ | ⑧ | ⑨ | ⑩　　　じょう |

## 漢字を書きましょう
かんじ　か

① 毎日にっきをつけている。
　 まいにち

② 事件についての新聞きじを読む。
　 じけん　　　　　しんぶん　　　よ

③ 旅行のきねんに写真をとる。
　 りょこう　　　　　しゃしん

④ 今回の大会で世界新きろくが出た。
　 こんかい　たいかい　せかいしん　　　　で

⑤ 首相のインタビューをろくおんする。
　 しゅしょう

⑥ 私の姉はとてもやさしい人だ。
　 わたし　あね　　　　　　　　ひと

⑦ 田中氏はノーベル賞をじゅしょうした。
　 たなかし　　　　　　しょう

⑧ クイズ大会で、しょうきんをもらった。
　 たいかい

| ① | ② | ③ | ④ |
|---|---|---|---|
| ⑤ | ⑥ | ⑦　受 じゅ | ⑧ |

# 記録 2
きろく

秒　ビョウ
(9)

差　さ-す
　　サ
(10)

測　はか-る
　　ソク
(12)

順　ジュン
(12)

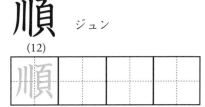

## 漢字を読みましょう
かんじ よ

① ビルの完成まで秒読みに入った。
かんせい　　　　　　　　　　はい

② 台風が毎秒30メートルで進む。
たいふう　　　　　　　　　　すす

③ 夏は日差しが強い。
なつ　　　　つよ

④ 中国と日本の時差は1時間だ。
ちゅうごく　にほん　　　　　　じかん

⑤ 大人と子どもは体力に大きな差がある。
おとな　こ　　　　　たいりょく おお

⑥ 人を差別してはいけない。
ひと

⑦ 来年はどんな年になるか予測する。
らいねん　　　　　とし

⑧ 来週、学校で体重測定がある。
らいしゅう がっこう　たいじゅう

⑨ 数式を順序立てて説明する。
すうしき　　じゅんじょ た　せつめい

⑩ 自分の順番が来るまで楽屋で待つ。
じぶん　　じゅんばん く　　　　がくや ま

| ① | ② | ③ | ④ | ⑤ |
|---|---|---|---|---|
| ⑥　　　べつ | ⑦ | ⑧ | ⑨　　　じょ | ⑩ |

## 漢字を書きましょう
かんじ か

① 100メートルを10びょうで走る選手。
はし せんしゅ

② びょうそく10メートルの風がふく。
かぜ

③ どのパソコンも性能はたいさない。
せいのう

④ 雨が止んで、日がさしてきた。
あめ や　　　　　ひ

⑤ 家を建てるため土地をそくりょうする。
いえ た　　　　とち

⑥ スーツケースの重量をけいそくする。
じゅうりょう

⑦ せが高いじゅんにならぶ。
たか

⑧ てんこうふじゅんで作物が育たない。
さくもつ そだ

| ① | ② | ③ | ④ |
|---|---|---|---|
| ⑤ | ⑥ | ⑦ | ⑧ |

# 野球
やきゅう

球 たま
　 キュウ
(11)

打 う-つ
　 ダ
(5)

投 な-げる
　 トウ
(7)

点 テン
(9)

## 漢字を読みましょう

① 父に地球儀を買ってもらった。
② 球技は何でもとくいだ。
③ 打球は遠くまで飛んだ。
④ 転んで頭を強打した。
⑤ 代打に出てホームランを打った。
⑥ このチームは投打ともに優れている。
⑦ 記事についての投書がよせられる。
⑧ 苦手な英語に重点を置いて勉強する。
⑨ 勉強をがんばって試験で満点を取った。
⑩ その試合で彼は五打点をあげた。

| ① 　　　ぎ | ② 　　　ぎ | ③ | ④ | ⑤ |
|---|---|---|---|---|
| ⑥ | ⑦ | ⑧ | ⑨ | ⑩ |

## 漢字を書きましょう

① 高校生の時、やきゅうぶに入っていた。
② 大事な試合でヒットをうった。
③ 山田とうしゅは球が速い。
④ 川に向かって小石をなげた。
⑤ 試合はどうてん引き分けに終わった。
⑥ 駅に近いのがこの店のりてんだ。
⑦ テストのてんすうが悪かった。
⑧ 車に気を付けてこうさてんをわたる。

| ① | ② | ③ | ④ |
|---|---|---|---|
| ⑤ | ⑥ | ⑦ | ⑧ |

# スポーツ　復習
ふくしゅう

## 【1】漢字の読み方を書いてください。
かんじ　よ　かた　か

1. 試合に勝って、チームのみんなで喜ぶ。
しあい　か　　　　　　　　　　　　　　よろこ

2. 家族の思い出を記録したビデオテープが見つかった。
かぞく　おも　で　きろく　　　　　　　　　み

3. 残念ながら、おうえんしたチームが負けてしまった。
ざんねん　　　　　　　　　　　　　　ま

4. 勉強をがんばったのでテストの点数が前より良かった。
べんきょう　　　　　　　　　　　　てんすう　まえ　よ

5. 子どものころ、川に石を投げてよくあそんだ。
こ　　　　　　かわ　いし　な

6. ピアノの発表会で賞をもらった。
はっぴょうかい

7. 大学に合格した彼の顔にはうれしさが表れている。
だいがく　ごうかく　かれ　かお　　　　　　　あらわ

8. 山田さんは優しい 心 の持ち主だ。
やまだ　　　やさ　　こころ　も　ぬし

9. ライバルとの苦しい戦いに勝つ。
くる　　たたか　　か

10. オリンピックの第一回大会はギリシャで行われた。
だいいっかいたいかい　　　　　　おこな

| | |
|---|---|
| 1 | |
| 2 | |
| 3 | |
| 4 | |
| 5 | |
| 6 | |
| 7 | |
| 8 | |
| 9 | |
| 10 | |

## 【2】漢字を書いてください。
かんじ　か

1. 頭をうったので、念のため病院へ行った。
あたま　　　　　　　ねん　　　びょういん　い

2. 彼女に結婚をもうしこむけっしんをした。
かのじょ　けっこん

3. うちゅうからちきゅうを見ると、青く見えるそうだ。
み　　あお　み

4. 田中選手は二位に大きくさをつけて優勝した。
たなかせんしゅ　にい　おお　　　　　　ゆうしょう

5. 100メートルを9びょうで走り、金メダルを取った。
はし　きん　　　　と

6. 学校だいひょうでスピーチコンテストに出場する。
がっこう　　　　　　　　　　　　　　しゅつじょう

7. ホームルームでクラスのリーダーをきめた。

8. 飛行機に乗る前に、荷物の重量をけいそくされる。
ひこうき　の　まえ　にもつ　じゅうりょう

9. 夏休みは、世界をまわる旅を計画している。
なつやす　せかい　　　　たび　けいかく

10. 2時間ならんで、やっとじゅんばんが来た。
じかん　　　　　　　　　　　　き

| | |
|---|---|
| 1 | |
| 2 | |
| 3 | |
| 4 | |
| 5 | |
| 6 | |
| 7 | |
| 8 | |
| 9 | |
| 10 | |

# 恋愛 1
れんあい

## 感 カン
(13)

感 | | |

## 情 なさ-け
ジョウ セイ
(11)

情 | | |

## 恋 こ-う こい-しい こい
レン
(10)

恋 | | |

## 愛 アイ
(13)

愛 | | |

## 漢字を読みましょう
かんじ よ

① 感情的に話してはいけない。
はな

② 子どもをだきしめて安心感をあたえる。
こ

③ 実話を元にした映画を見て感動した。
じつわ もと えいが み

④ 彼は情け深い人だ。
かれ ぶか ひと

⑤ この辺りは古い町の風情が残っている。
あた ふる まち のこ

⑥ 母が作る料理が恋しい。
はは つく りょうり

⑦ 亡くなった妻を今も恋う。
な つま いま

⑧ 父にもらったペンを愛用している。
ちち

⑨ 彼は愛情表現が下手だ。
かれ ひょうげん へた

⑩ 二人は大恋愛の末、結婚した。
ふたり だい すえ けっこん

| ① | てき | ② | | ③ | | ④ | | ⑤ | |
|---|---|---|---|---|---|---|---|---|---|
| ⑥ | | ⑦ | | ⑧ | | ⑨ | | ⑩ | |

## 漢字を書きましょう
かんじ か

① わずかだが、家がゆれたのをかんじた。
いえ

② 本を読んだかんそうを言う。
ほん よ

③ 彼の心優しい行動にかんしんした。
かれ こころやさ こうどう

④ 二人のゆうじょうは末長く続くだろう。
ふたり すえなが つづ

⑤ 病気の友達に心からどうじょうする。
びょうき ともだち こころ

⑥ 彼女は田中さんにこいをしている。
かのじょ たなか

⑦ こいびとは今外国に留学している。
いまがいこく りゅうがく

⑧ 手紙を読んで、母のあいを知った。
てがみ よ はは し

| ① | | ② | | ③ | | ④ | |
|---|---|---|---|---|---|---|---|
| ⑤ | | ⑥ | | ⑦ | | ⑧ | |

# 恋愛２
れんあい

| 信 シン | 想 ソウ　ソ |
|---|---|
| (9) | (13) |

| 伝 つた-わる　つた-える　つた-う　デン | 欲 ほっ-する　ほ-しい　ヨク |
|---|---|
| (6) | (11) |

## 漢字を読みましょう
かんじ　　よ

① 私は親から信頼されている。
　わたし　おや
② 信号をよく見て横断歩道をわたる。
　　　　　　み　おうだんほどう
③ 未来の生活を空想する。
　みらい　せいかつ
④ 彼女はだれに対しても愛想がいい。
　かのじょ　　　　たい
⑤ 電話で用件を伝える。
　でんわ　ようけん
⑥ 階段の手すりを伝って上る。
　かいだん　て　　　　　　のぼ
⑦ この村には昔からの伝説が多くある。
　　むら　　むかし　　　でんせつ　おお
⑧ 友達に先生への伝言をたのむ。
　ともだち　せんせい
⑨ 日本の伝統文化にきょうみがある。
　にほん　でんとうぶんか
⑩ 心の欲するままに行動する。
　こころ　　　　　　　こうどう

| ① らい | ② | ③ | ④ | ⑤ |
|---|---|---|---|---|
| ⑥ | ⑦ | ⑧ | ⑨ とう | ⑩ |

## 漢字を書きましょう
かんじ　か

① 私は彼をしんじている。
　わたし　かれ
② 人の前で話すことにじしんがある。
　ひと　まえ　はな
③ 友達をしんようしてお金を貸した。
　ともだち　　　　　　かね　か
④ どちらが勝つかよそうする。
　　　　　か
⑤ 彼はりそうの恋人だ。
　かれ　　　　こいびと
⑥ 表情から彼の悲しみがつたわった。
　ひょうじょう　かれ　かな
⑦ いいにおいがしてしょくよくがわく。
⑧ 人気ブランドの洋服がほしい。
　にんき　　　　　ようふく

| ① | ② | ③ | ④ |
|---|---|---|---|
| ⑤ | ⑥ | ⑦ | ⑧ |

# 悩み
なや

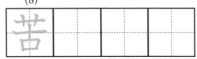

苦
(8)
くる-しむ　くる-しめる
にが-る　くる-しい　にが-い
ク

悩
(10)
なや-む　なや-ます
ノウ

困
(7)
こま-る
コン

難
(18)
むずか-しい　かた-い
ナン

## 漢字を読みましょう
かんじ　よ

① 重い病気で長い間苦しんでいる。
おも　びょうき　なが　あいだ　くる

② 若いころ非行に走って親を苦しめた。
わか　ひこう　はし　おや　くる

③ このコーヒーは少し苦みがある。
すこ　にが

④ 苦痛を和らげる薬を飲む。
くつう　やわ　くすり　の

⑤ テレビの音がうるさくて苦情を言った。
おと　くじょう　い

⑥ 頭痛に悩まされている。
ずつう　なや

⑦ 急に雨が降り出して困った。
きゅう　あめ　ふ　だ　こま

⑧ 彼はどんな困難にも立ち向かう人だ。
かれ　こんなん　た　む　ひと

⑨ たえ難い痛みで病院へ運ばれた。
がた　いた　びょういん　はこ

⑩ 工事は今、最大の難所にかかっている。
こうじ　いま　さいだい　なんしょ

| ① | ② | ③ | ④ | ⑤ |
|---|---|---|---|---|
| ⑥ | ⑦ | ⑧ | ⑨ | ⑩ |

## 漢字を書きましょう
かんじ　か

① せきが止まらなくてくるしい。
と

② このお茶はにがい。
ちゃ

③ 私の親は若い時くろうしたそうだ。
わたし　おや　わか　とき

④ レポートをまとめるのにくしんする。

⑤ 進学するか帰国するか、なやんでいる。
しんがく　きこく

⑥ お金がなくて生活にこまっている。
かね　せいかつ

⑦ 問題がむずかしくて、答えがわからない。
もんだい　こた

⑧ 数学のなんもんをすらすら解いた。
すうがく　と

| ① | ② | ③ 労 ろう | ④ |
|---|---|---|---|
| ⑤ | ⑥ | ⑦ | ⑧ |

## とくべつな言葉……苦り切った表情
ことば　にが　き　ひょうじょう

48

# 気持ちの表れ1
きも　　あらわ

怒　いか‐る　おこ‐る
　　ド
(9)

悲　かな‐しむ　かな‐しい
　　ヒ
(12)

笑　わら‐う　え‐む
　　ショウ
(10)

喜　よろこ‐ぶ
　　キ
(12)

## 漢字を読みましょう
かんじ　よ

① 成績が下がって親に怒られた。
せいせき さ　　おや

② 相手の失礼なたいどに激怒する。
あいて しつれい

③ かわいがっていた犬が死んで悲しい。
いぬ し

④ 二人の結婚は悲劇に終わった。
ふたり けっこん

⑤ しょうらいを悲観してはいけない。

⑥ 面白い話に声をあげて笑った。
おもしろ はなし こえ

⑦ 彼のギャグにクラス中が爆笑した。
かれ じゅう

⑧ 赤ちゃんを見て、思わずほほ笑んだ。
あか み おも

⑨ ジュースを差し入れして喜ばれた。
さ い

⑩ 彼女は喜怒哀楽がはっきりした性格だ。
かのじょ せいかく

| ① | ② げき | ③ | ④ げき | ⑤ かん |
|---|---|---|---|---|
| ⑥ | ⑦ ばく | ⑧ | ⑨ | ⑩ あいらく |

## 漢字を書きましょう
かんじ　か

① 失言により相手のいかりを買った。
しつげん あいて か

② 友人の死をかなしむ。
ゆうじん し

③ ひれんの物語を読んだ。
ものがたり よ

④ 落語を聞いておおわらいする。
らくご き

⑤ 彼女はいつもえがおをたやさない。
かのじょ

⑥ となりの教室からわらいごえがする。
きょうしつ

⑦ 母は大学合格をよろこんでくれた。
はは だいがくごうかく

⑧ さいふが見つかっておおよろこびする。
み

| ① | ② | ③ | ④ |
|---|---|---|---|
| ⑤ | ⑥ | ⑦ | ⑧ |

# 気持ちの表れ 2
きも　　　　あらわ

残 to be remain / to be left
のこ-る　のこ-す
ザン
(10)

念 ネン
(8)

泣 cry
な-く
キュウ
(8)

涙 なみだ　tears / sympathy
ルイ
(10)

## 漢字を読みましょう
かんじ　よ

① 注文した料理を残してしまった。
ちゅうもん　りょうり

② 野菜に農薬が残留する。
やさい　のうやく

③ 山に残雪があるのが見える。
やま　　　　　　　み

④ アルバイトを辞めて勉強に専念する。
や　　べんきょう

⑤ 念願のマイホームを手に入れた。

⑥ 彼は信念を曲げない人だ。
かれ　しん　　ま　　ひと

⑦ 念のため、連絡先を教えてもらう。
れんらくさき　おし

⑧ 映画のラストシーンに泣いた。
えいが

⑨ そふが亡くなり、号泣する父を見た。
な　　　　　　　　　ちち　み

⑩ 話のとちゅうで突然涙声になる。
はなし　　　　　　とつぜん

| ① | ② | りゅう | ③ | ④ | せん | ⑤ |
|---|---|---|---|---|---|---|
| ⑥ | ⑦ | | ⑧ | ⑨ | | ⑩ |

## 漢字を書きましょう
かんじ　か

① 会社に遅くまでのこって仕事をした。
かいしゃ　おそ　　　　　　しごと

② ざんねんながら今年も不合格だった。
ことし　ふごうかく

③ 出された料理をのこさず全部食べた。
だ　　　りょうり　　　　　ぜんぶ　た

④ 忘れ物がないかにゅうねんに確認する。
わす　もの　　　　　　　　かくにん

⑤ 大学の教育りねんに共感する。
だいがく　きょういく　　　　きょうかん

⑥ 試合に負けてくやしなきをした。
しあい　ま

⑦ 子どものころはなきむしだった。
こ

⑧ 玉ねぎを切ったらなみだが出た。
たま　　　き　　　　　　　　で

| ① | ② | ③ | ④ |
|---|---|---|---|
| ⑤ | ⑥ | ⑦ | ⑧ |

とくべつな言葉……　涙腺
ことば　　　　るいせん

## 感情　復習
かんじょう　ふくしゅう

### 【1】 漢字の読み方を書いてください。
かんじ　よ　かた　か

1. この料理には母の愛情が入っている。
りょうり　はは　　　あい

2. 恋愛中は相手の悪いところが見えなくなる。
あいて　わる　　　　　　み

3. この町は子どもを育てるのに理想的な場所だ。
まち　こ　　　そだ　　　　　　　　　ばしょ

4. この映画は何回見ても涙が出る。
えいが　なんかいみ　　　　で

5. 進学について親と意見が合わず悩んでいる。
しんがく　　　おや　いけん　あ

6. 友達の宿題を写したのが見つかって、先生に怒られた。
ともだち　しゅくだい　うつ　　　　み　　　　　　せんせい

7. 楽しみにしていたコンサートへ行けなくて残念だ。
たの　　　　　　　　　　　　　　い

8. 親子がはなればなれになる悲しい映画を見た。
おやこ　　　　　　　　　　　　　　えいが　み

9. この問題を解決するまでには多くの困難が予想される。
もんだい　かいけつ　　　　　　おお　　　　　　よそう

10. 私があげたプレゼントを母はとても喜んでくれた。
わたし　　　　　　　　　　　　はは

| | |
|---|---|
| 1 | |
| 2 | |
| 3 | てき |
| 4 | |
| 5 | |
| 6 | |
| 7 | |
| 8 | |
| 9 | |
| 10 | |

### 【2】 漢字を書いてください。
かんじ　か

1. 宿題に読書かんそうぶんが出された。
しゅくだい　どくしょ　　　　　　だ

2. 休みの日にこいびとと映画を見に行った。
やす　ひ　　　　　　　　えいが　み　い

3. 娘に家にすぐ帰るよう、留守番電話にでんごんを残す。
むすめ　いえ　　　　かえ　　　　るすばんでんわ　　　　　　のこ

4. 体力にはじしんがあるのでハードな仕事もこなせる。
たいりょく　　　　　　　　　　　　　　しごと

5. 子どもの時はよく親にしかられてないた。
こ　　　とき　　　おや

6. ゴール前はくるしかったが、マラソンを完走した。
まえ　　　　　　　　　　　　　　かんそう

7. 定期を落としてしまって本当にこまった。
ていき　お　　　　　　　ほんとう

8. この本は漢字が多くてむずかしい。
ほん　かんじ　おお

9. 先生がおもしろいことを言ったので、みんなでわらった。
せんせい　　　　　　　い

10. 給料が入ったら、新しい服がほしい。
きゅうりょう　はい　　　あたら　ふく

| | |
|---|---|
| 1 | |
| 2 | |
| 3 | |
| 4 | |
| 5 | |
| 6 | |
| 7 | |
| 8 | |
| 9 | |
| 10 | |

# 5章・6章　アチーブメントテスト

【1】次の文の下線をつけた言葉の読み方を①〜④の中から選び、番号を書いてください。

1. 力いっぱい戦ったが、試合に負けてしまった。
   ① たたかった　　② たかかった　　③ たかった　　④ たつかった

2. 病気になった時、恋人が料理を作りに来てくれた。
   ① れんじん　　② こいびと　　③ こいひと　　④ こいじん

3. 夏休みの宿題で、読書感想文を書いた。
   ① かんじょう　　② かんしょう　　③ かんぞう　　④ かんそう

4. テニスの全国大会で優勝し、トロフィーをもらった。
   ① ゆうしょう　　② ゆうそう　　③ ゆうじょう　　④ ようしょう

5. 1秒差で金メダルがとれなくて、あまりのくやしさにねむれなかった。
   ① ひょう　　② ぴょう　　③ びょう　　④ びゅう

| 1 | | 2 | | 3 | | 4 | | 5 | |
|---|---|---|---|---|---|---|---|---|---|

【2】次の文の下線をつけた言葉の書き方を①〜④の中から選び、番号を書いてください。

1. だいいっかい東京マラソンは 2007 年に行われた。
   ① 弟一回　　② 第一回　　③ 代一回　　④ 台一回

2. 新商品の発売日は五月三日にけっていした。
   ① 欠定　　② 結定　　③ 決定　　④ 訣定

3. ビルを建てるため、土地の面積をはかる。
   ① 測る　　② 側る　　③ 則る　　④ 計る

4. 留守番電話のでんごんを聞いて、すぐに会社にかけ直した。
   ① 伝言　　② 云言　　③ 電言　　④ 転言

5. 北海道にきろく的な大雪が降った。
   ① 記緑　　② 計録　　③ 許録　　④ 記録

| 1 | | 2 | | 3 | | 4 | | 5 | |
|---|---|---|---|---|---|---|---|---|---|

【3】①〜⑳の下線部の漢字または読み方を書いてください。

## ①なやみ相談

Q：私の②こいびとは今、アメリカに留学しています。

アメリカへ行ってしばらくは毎日電話がありましたが、最近は1週間に③いっかいくらいです。理由を聞くと、大学で④やきゅう部に入り毎日遅くまで練習していそがしいのだそうです。次のリーグ⑤戦では試合に出てホームランを⑥打って⑦かちたいと⑧笑って言っていました。それを聞いて⑨愛情よりスポーツのほうが大切なのかと⑩かなしくなりました。

大学では友達もたくさんいるようで、他に好きな人ができたのかと⑪涙が出そうになる時があります。えんきょり⑫恋愛はやめたほうが良いのでしょうか。

A：彼が好きなら彼の言葉を⑬しんじてあげましょう。

疑っていると悪い方向に進んでしまうかもしれません。はなれていると、なかなか気持ちを⑭つたえるのは⑮難しいですが、電話で⑯ないたり⑰怒ったりして⑱感情的になると、彼の気持ちはますますはなれてしまいますよ。

彼を⑲こまらせるのではなく、⑳優しい言葉をかけてあげればうまくいくと思いますよ。

| ① | ② | ③ | ④ |
|---|---|---|---|
| ⑤ | ⑥ | ⑦ | ⑧ |
| ⑨ | ⑩ | ⑪ | ⑫ |
| ⑬ | ⑭ | ⑮ | ⑯ |
| ⑰ | ⑱ | ⑲ | ⑳ |

# 5章・6章　クイズ

【1】 AとBを組み合わせて、（　　　）に漢字を書いてください。
〔　　　〕に下線部分の読み方も書いてください。

1. ヒットを （　　　）って点が入った。　　　　　　　〔　　　　　〕

2. 1（　　　）差でおしくも二位になった。　　　　　　〔　　　　　〕

3. 毎日、日本語で 日（　　　）を書いている。　　　　〔　　　　　〕

4. 彼女はいつもテストの （　　　）位がクラスでトップだ。　〔　　　　　〕

5. もっと大きいテレビが （　　　）しい。　　　　　　〔　　　　　〕

| A | 扌 ・ 言 ・ 禾 ・ 川 ・ 谷 |
|---|---|
| B | 己 ・ 丁 ・ 少 ・ 欠 ・ 頁 |

【2】 次の意味になるように□に正しい漢字を書いてください。

1. 優勝を決める戦い ・・・・・・・・・・・・・・・・ □ 勝戦
しょうせん

2. スポーツなどの成績や結果 ・・・・・・・・・・・・ □ 録
ろく

3. コーヒー、薬などのいやな味 ・・・・・・・・・・・ □ み

4. 悲しい時や、くやしい時に目から出る水のような液体 ・・・・ □

5. うれしい、苦しい、悲しいなどの気持ち ・・・・・・ □ 情
じょう

| 苦　決　涙　感　記 |
|---|

【3】新聞記事を読んで、①〜⑩の下線部の読み方を書いてください。

## 石川 メジャーへ

日本①代表にも選ばれたARCの石川一男②投手（30）が、米大リーグにチャレンジするため、7日、米国へ出発。現地に着いてすぐ記者の取材を受け、「③球の速さには④自信がある。まずはストレートで⑤勝負したい。日本の⑥野球が大リーグで通用することをしょうめいしたい。」と⑦笑顔で語った。

石川は昨年、先発として⑧十七勝を上げ、⑨最多勝をかくするとともに、チームを⑩優勝にみちびいた。

| ① | ② | ③ | ④ | ⑤ |
|---|---|---|---|---|
| ⑥ | ⑦ | ⑧ | ⑨ | ⑩ |

# 結婚
けっこん

## 結
むす-ぶ　ゆ-う　ゆ-わえる
ケツ
(12)

## 婚
コン
(11)

## 紹
ショウ
(11)

## 介
カイ
(4)
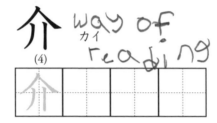
way of reading

## 漢字を読みましょう
かんじ　よ

① くつのひもを結ぶ。
② かみを一つに結わえる。
ひと
③ 自分で毎日かみを結う。
じぶん　まいにち
④ 来年結婚することになった。
らいねん
⑤ 面接試験の結果が出た。
めんせつしけん　で
⑥ 金婚式のお祝いをする。
いわ
⑦ 新婚旅行でヨーロッパへ行く。
りょこう　い
⑧ 友人の紹介で彼に出会った。
ゆうじん　かれ　であ
⑨ 不動産会社に仲介料をはらう。
ふどうさんがいしゃ
⑩ 魚介類の中でも特にえびが好きだ。
なか　とく　す

| ① | ② | ③ | ④ | ⑤ |
|---|---|---|---|---|
| ⑥　　　しき | ⑦ | ⑧ | ⑨ ちゅう | ⑩　　　るい |

## 漢字を書きましょう
かんじ　か

① 口をへの字にむすぶ。
くち　じ
② 母にかみをゆってもらった。
はは
③ ドラマのけつまつが気になる。
き
④ けつろんを出す。
だ
⑤ 社長の娘とこんやくする。
しゃちょう　むすめ
⑥ 働くみこん女性がふえている。
はたら　じょせい
⑦ 自己しょうかいをする。
じこ
⑧ ぎょかいのソースを作る。
つく

| ① | ② | ③ | ④　　　論 ろん |
|---|---|---|---|
| ⑤ | ⑥　　　未 み | ⑦ | ⑧ |

# 独身
どくしん

独 ひと-り / ドク
(9)
独

身 み / シン
(7)
身

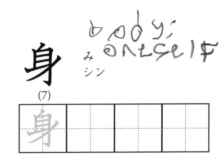
body;
oneself

貯 チョ
(12)
貯

期 キ　ゴ
(12)
期

## 漢字を読みましょう

① 彼は独身だそうだ。
② 会社を辞めて、独立した。
③ テレビを見ながら独り言をつぶやく。
④ 身近な人に相談する。
⑤ あの選手は身長が190センチもある。
⑥ ボーナスから十万円を貯金する。
⑦ 食料をそうこで貯蔵する。
⑧ 期末テストの点数が悪かった。
⑨ 親の期待にこたえるためにがんばった。
⑩ そふと最期のおわかれをする。

| ① | ② | ③ | ④ | ⑤ |
|---|---|---|---|---|
| ⑥ | ⑦ ぞう | ⑧ | ⑨ | ⑩ さい |

## 漢字を書きましょう

① 親元をはなれ、ひとりだちする。
② どくしん生活を楽しむ。
③ 私と彼はしゅっしん大学が同じだ。
④ みぶんしょうめいしょを見せる。
⑤ なかみのない話。
⑥ 結婚のために毎月ちょきんしている。
⑦ ぜんきのテストを受ける。
⑧ しんがっきが始まる前に旅行する。

| ① | ② | ③ | ④ |
|---|---|---|---|
| ⑤ | ⑥ | ⑦ | ⑧ |

とくべつな言葉……一期一会
ことば　　いちごいちえ

# 婚約
こんやく

約　ヤク
(9)

| 約 | | | |
|---|---|---|---|

束　たば
　　ソク
(7)

| 束 | | | |
|---|---|---|---|

必　かなら-ず
　　ヒツ
(5)

| 必 | | | |
|---|---|---|---|

守　まも-る　もり
　　シュ　ス
(6)

| 守 | | | |
|---|---|---|---|

## 漢字を読みましょう

① ホテルを予約する。

② 彼に婚約ゆびわをもらった。
かれ

③ 恋人に花束をプレゼントする。
こいびと

④ 山の中でおさつの束が見つかった。
やま　なか　　　　　　　　　み

⑤ 必ず宿題を出さなくてはいけない。
しゅくだい　だ

⑥ 必勝を願っておうえんした。
ねが

⑦ 父との約束を守る。
ちち　やくそく

⑧ 母親が子どもに子守歌を聞かせる。
ははおや　こ　　　　　　　き

⑨ 九回表の守備につく。
きゅうかいおもて

⑩ 旅行で1週間家を留守にする。
りょこう　　しゅうかんいえ

| ① | ② | ③ | ④ | ⑤ |
|---|---|---|---|---|
| ⑥ | ⑦ | ⑧ | ⑨　　　　び | ⑩ |

## 漢字を書きましょう

① ローンをかいやくする。

② 学校までやく1時間かかる。
がっこう　　　　じかん

③ けっそくが固いチーム。
かた

④ 古新聞をたばにする。
ふるしんぶん

⑤ そくばくされるのはいやだ。

⑥ 合格するために、ひっしでがんばる。
ごうかく

⑦ 交通安全のおまもりを買う。
こうつうあんぜん　　　　　　か

⑧ 時間げんしゅ。
じかん

| ① 解 | ② | ③ | ④ |
|---|---|---|---|
| かい | | | |
| ⑤　　　縛 | ⑥ | ⑦ | ⑧ 厳 |
| ばく | | | げん |

# 結婚式
けっこんしき

式 シキ
(6)

列 レツ
(6)

祝 いわ-う
シュク　シュウ
(9)

酔 よ-う
スイ
(11)

## 漢字を読みましょう

① 結婚を正式に発表する。
② 友達の結婚式に出席する。
③ 書式にしたがって願書を書く。
④ ここはいつも行列ができる人気店だ。
⑤ 自転車で日本列島を旅する。
⑥ そぼのたんじょうびを家族で祝う。
⑦ 優勝祝賀パーティーにさんかした。
⑧ 二日酔いで気持ちが悪い。
⑨ 電車で酔っぱらいがさわいでいた。
⑩ 泥酔するまで飲む。

| ① | ② | ③ | ④ | ⑤ とう |
|---|---|---|---|---|
| ⑥ | ⑦ が | ⑧ | ⑨ | ⑩ でい |

## 漢字を書きましょう

① お茶の道具いっしきをそろえる。
② かぶしき会社を設立した。
③ いちれつにならんで待つ。
④ 急行れっしゃに乗る。
⑤ 入学いわいに時計をあげる。
⑥ 5月5日こどもの日は、しゅくじつだ。
⑦ 受付でごしゅうぎをわたす。
⑧ 私は子どものころから車によいやすい。

| ① | ② 株 | ③ | ④ |
|---|---|---|---|
| ⑤ | ⑥ | ⑦ 儀 | ⑧ |

# 幸せ
しあわ

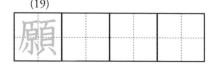

永　なが‐い
　　エイ
(5)

| 永 | | | |
|---|---|---|---|

願　ねが‐う
　　ガン
(19)

| 願 | | | |
|---|---|---|---|

幸　さいわ‐い　さち　しあわ‐せ
　　コウ
(8)

| 幸 | | | |
|---|---|---|---|

福　フク
(13)

| 福 | | | |
|---|---|---|---|

## 漢字を読みましょう
かんじ　よ

① 結婚式で永遠の愛をちかう。
けっこんしき　　あい

② 外国に永住する。
がいこく

③ 親が子の無事を願う。
おや　こ　ぶじ

④ メールで入学願書を取りよせる。
にゅうがく　　と

⑤ 幸いなことに、けがはなかった。

⑥ 新婚の二人に幸多かれと願う。
しんこん　ふたり　　おお　　ねが

⑦ お金がなくても幸せだ。
かね

⑧ 幸運にめぐまれる。

⑨ 笑う門には福来る。
わら　かど　　きた

⑩ 社会福祉士の試験を受ける。
しけん　う

| ① | ② | ③ | ④ | ⑤ |
|---|---|---|---|---|
| ⑥ | ⑦ | ⑧ | ⑨ | ⑩　　　　しし |

## 漢字を書きましょう
かんじ　か

① 末ながくお幸せに。
すえ　　しあわ

② ねがい事がかなう。
ごと

③ しゅつがん手続きをする。
てつづ

④ ふこう中の幸い。
ちゅう　さいわ

⑤ 家族でしあわせにくらす。
かぞく

⑥ 海のさちを味わう。
うみ　　あじ

⑦ こうふくな人生を送る。
じんせい　おく

⑧ 友達の結婚をしゅくふくする。
ともだち　けっこん

| ① | ② | ③ | ④ |
|---|---|---|---|
| ⑤ | ⑥ | ⑦ | ⑧ |

# 結婚　復習
けっこん　ふくしゅう

## 【1】 漢字の読み方を書いてください。
かんじ　よ　かた　か

1. 去年から身長が2センチも伸びた。
   きょねん　　　　　　　　　　の

2. 私の出身はタイのチェンマイというところだ。
   わたし

3. かみの毛を一つに結わえている女性が好きだ。
   け　ひと　　　　　　　　じょせい　す

4. 母はいつでもやさしく見守ってくれている。
   はは

5. この店はいつも長い行列ができている。
   みせ　　　　　なが

6. 退職のお祝いに大きな花束をおくる。
   たいしょく　いわ　おお

7. ボーナスを使って、ゴルフクラブ一式を買う。
   つか　　　　　　　　　　　　　　　　　か

8. 山下さんはカナダに永住するらしい。
   やました

9. 二日酔いがひどく、会社を休んでしまった。
   かいしゃ　やす

10. 最近、独り言が多くなった気がする。
    さいきん　ひと　ごと　おお　　　き

| | |
|---|---|
| 1 | |
| 2 | |
| 3 | |
| 4 | |
| 5 | |
| 6 | |
| 7 | |
| 8 | |
| 9 | |
| 10 | |

## 【2】 漢字を書いてください。
かんじ　か

1. しょうらいはどくりつして、自分の店を持ちたい。
   じぶん　みせ　も

2. あのレストランは、なかなかよやくがとれない。

3. しんこん旅行で1週間ヨーロッパに行く。
   りょこう　しゅうかん　　　い

4. 借りた本はかならず1週間以内に返してください。
   か　ほん　　　　　　しゅうかんいない　かえ

5. 国の文化を日本にしょうかいする仕事がしたい。
   くに　ぶんか　にほん　　　　　　しごと

6. 毎月、給料から五万円ずつちょきんすることにした。
   まいつき　きゅうりょう　ごまんえん

7. おいしいものを食べると、しあわせな気分になる。
   た　　　　　　　　　　　きぶん

8. 友人の結婚をしゅくふくする。
   ゆうじん　けっこん

9. 息子の大学合格を心からねがっている。
   むすこ　だいがくごうかく　こころ

10. 新年のおいわいにおぞうにを食べた。
    しんねん　　　　　　　　　た

| | |
|---|---|
| 1 | |
| 2 | |
| 3 | |
| 4 | |
| 5 | |
| 6 | |
| 7 | |
| 8 | |
| 9 | |
| 10 | |

# 人間関係
にんげんかんけい

関 せき　かか‐わる
カン
(14)

係 かか‐る　かかり
ケイ
(9)

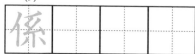

和 やわ‐らぐ　やわ‐らげる
なご‐む　なご‐やか
ワ　オ
(8)

付 つ‐く　つ‐ける
フ
(5)

## 漢字を読みましょう
かんじ　よ

① 箱根の関所は有名な観光地だ。
はこね　ゆうめい　かんこうち

② リーダーとしてプロジェクトに関わる。

③ 玄関でくつをぬいでそろえる。

④ 駅の係員に注意された。
えき　ちゅうい

⑤ 会社の人間関係に悩まされる。
かいしゃ　にんげん　なや

⑥ 寒さが和らぎ春のおとずれを感じる。
さむ　はる　かん

⑦ この音楽をきくと心が和む。
おんがく　こころ

⑧ 料理の中でも和食が一番好きだ。
りょうり　なか　いちばん す

⑨ そでにインクが付く。

⑩ この付近には、くまが出るらしい。
で

| ① | ② | ③ げん | ④ | ⑤ |
|---|---|---|---|---|
| ⑥ | ⑦ | ⑧ | ⑨ | ⑩ |

## 漢字を書きましょう
かんじ　か

① かんとうちほうに台風が近づく。
たいふう　ちか

② 貿易にかかわる仕事がしたい。
ぼうえき　しごと

③ 政治にかんしんがある。
せいじ

④ かんけい者以外、立入禁止。
しゃいがい　たちいりきんし

⑤ 痛みをやわらげる薬。
いた　くすり

⑥ パーティーはなごやかに行われた。
おこな

⑦ 休みに部屋をかたづける。
やす　へや

⑧ ビジネスマナーをみにつける。

| ① | ② | ③ | ④ |
|---|---|---|---|
| ⑤ | ⑥ | ⑦ 片 かた | ⑧ |

とくべつな言葉……　受付、和尚
ことば　　　　うけつけ　おしょう

# 家族
かぞく

娘　むすめ
(10)

老　おーいる　ふーける
(6)　ロウ

婦　フ
(11)

姓　セイ　ショウ
(8)

## 漢字を読みましょう

① 木村さんには娘さんが三人いる。
② 人はだれでも老いていくものだ。
③ 彼は年よりずっと老けて見える。
④ 老後の人生について考える。
⑤ 夫婦でスキーを楽しむ。
⑥ ぼうしをかぶった婦人が入ってきた。
⑦ 仕事をしながら主婦業もこなす。
⑧ 新婦のドレスはとてもきれいだった。
⑨ 結婚しても夫とべつの姓のままでいる。
⑩ 同姓同名の人がいておどろいた。

| ① | ② | ③ | ④ | ⑤ |
|---|---|---|---|---|
| ⑥ | ⑦　ぎょう | ⑧ | ⑨ | ⑩ |

## 漢字を書きましょう

① 彼女は箱入りむすめだ。
② 子どもはむすめ一人、息子一人だ。
③ おいた親の面倒を見る。
④ けいろうの日のお祝いをする。
⑤ ろうふうふが仲良くさんぽしている。
⑥ 母はせんぎょうしゅふだ。
⑦ 結婚してせいが変わる。
⑧ 書類にせいと名を書く。

| ① | ② | ③ | ④　敬 |
|---|---|---|---|
| ⑤ | ⑥ | ⑦ | ⑧ |

とくべつな言葉……百姓
ことば　　ひゃくしょう

# 仲間
なかま

仲　なか　チュウ
(6)

君　きみ　クン
(7)

彼　かれ　かの　ヒ
(8)

他　ほか　タ
(5)

## 漢字を読みましょう
かんじ　よ

① 二人は大の仲良しだ。
ふたり　だい

② 友人同士のけんかの仲裁をする。
ゆうじんどうし

③ この仕事は君に任せたよ。
しごと　まか

④ 細川君にチョコをあげた。
ほそかわ

⑤ 彼はまじめでやさしい青年だ。
せいねん

⑥ 彼女をデートにさそって、断られた。
ことわ

⑦ お彼岸に、はかまいりをする。

⑧ 他に意見はありませんか。
いけん

⑨ 他国の文化を学ぶ。
ぶんか　まな

⑩ 彼は他人のことには口を出さない人だ。
かれ　くち　だ　ひと

| ① | ② さい | ③ | ④ | ⑤ |
|---|---|---|---|---|
| ⑥ | ⑦ | ⑧ | ⑨ | ⑩ |

## 漢字を書きましょう
かんじ　か

① あの兄弟はなかがいい。
きょうだい

② なかまを大切にする。
たいせつ

③ 売買をちゅうかいする。
ばいばい

④ 田中くんをさそってあそびに行く。
たなか

⑤ かれしに手料理をごちそうする。
てりょうり

⑥ かのじょはとてもきれいな人だ。
ひと

⑦ たしゃに負けないせいひんを売る。
ま　う

⑧ この話はたごんむようだ。
はなし

| ① | ② | ③ | ④ |
|---|---|---|---|
| ⑤　氏 し | ⑥ | ⑦ | ⑧ |

とくべつな言葉……仲人
ことば　なこうど

64

# 友人
ゆうじん

初
そ-める　はじ-め　はじ-めて
はつ　うい
ショ

(7)

| | | | |
|---|---|---|---|
| 初 | | | |

再
ふたた-び
サイ　サ

(6)

| | | | |
|---|---|---|---|
| 再 | | | |

久
ひさ-しい
キュウ　ク

(3)

| | | | |
|---|---|---|---|
| 久 | | | |

達
タツ

(12)

| | | | |
|---|---|---|---|
| 達 | | | |

## 漢字を読みましょう
かんじ　よ

① 父と母のなれ初めを聞く。
ちち　はは　き

② 書き初めに「初日の出」と書いた。
か　ぞ　はつひ　で　か

③ 新入社員のスーツすがたが初々しい。
しんにゅうしゃいん　ういうい

④ この映画は今日が公開初日だ。
えいが　きょう　こうかい　しょにち

⑤ 失敗にこりず、再びチャレンジした。
しっぱい　ふたた

⑥ 成績が悪く、再試験を受ける。
せいせき　わる　さいしけん　う

⑦ 再来年には新しい地下鉄が開通する。
さらいねん　あたら　ちかてつ　かいつう

⑧ 彼女とは久しく会っていない。
かのじょ　ひさ　あ

⑨ 永久に平和が続くことを願う。
えいきゅう　へいわ　つづ　ねが

⑩ 子どもは語学の上達が早い。
こ　ごがく　じょうたつ　はや

| ① | ② | ③ | ④ | ⑤ |
|---|---|---|---|---|
| ⑥ | ⑦ | ⑧ | ⑨ | ⑩ |

## 漢字を書きましょう
かんじ　か

① 4月のはじめには、さくらが満開になる。
がつ　まんかい

② こんなことははじめてだ。

③ 富士山にはつゆきが降った。
ふじさん　ふ

④ しょしんに返る。
かえ

⑤ 何事もさいしょが大切だ。
なにごと　たいせつ

⑥ 学生時代の友人にさいかいする。
がくせいじだい　ゆうじん

⑦ ひさしぶりに友達に会った。
ともだち　あ

⑧ 手紙をそくたつで出す。
てがみ　だ

| ① | ② | ③ | ④ |
|---|---|---|---|
| ⑤ 　最<br>さい | ⑥ | ⑦ | ⑧ |

## とくべつな言葉……友達、屋久島
ことば　ともだち　やくしま

# 個性
こ せい

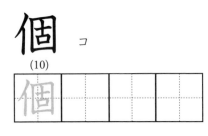

個 コ
(10)

性 セイ　ショウ
(8)

各 おのおの
カク
(6)

格 カク　コウ
(10)

## 漢字を読みましょう

① 一個二百円の卵を買う。
　にひゃくえん　たまご　か

② レストランの個室を予約した。
　　　　　　　　　　よやく

③ 彼のファッションは個性的だ。
　かれ

④ この紙は水にとけやすい性質を持つ。
　　　かみ　みず　　　　　　　も

⑤ 彼女とは何をするにも相性がよい。
　かのじょ　なに

⑥ 世界各国の代表が来日した。
　せかい　　　だいひょう　らいにち

⑦ 各自昼食を持って来てください。
　かくじ　ちゅうしょく　も

⑧ 彼女はグループのリーダー格だ。
　かのじょ

⑨ 真面目な性格は父親ににている。
　まじめ　　　　ちちおや

⑩ コースをまちがえて失格になった。

| ① | ② | ③　　てき | ④ | ⑤　あい |
|---|---|---|---|---|
| ⑥ | ⑦ | ⑧ | ⑨ | ⑩　しっ |

## 漢字を書きましょう

① こじんてきな意見を言う。
　　　　　　いけん　い

② 子どものこせいを伸ばしてやりたい。
　こ　　　　　　　　の

③ 彼女は仕事ができるじょせいだ。
　かのじょ　しごと

④ すいせいボールペンで書く。
　　　　　　　　　　　か

⑤ きしょうがはげしい人。
　　　　　　　　ひと

⑥ 人はおのおの考え方がちがう。
　ひと　　　　　かんが　かた

⑦ ごうかくきがんのお守りを買う。
　　　　　　まも　か

⑧ たいかくのいい男の人が好きだ。
　　　　　おとこ　ひと　す

| ① | ② | ③ | ④ |
|---|---|---|---|
| ⑤ | ⑥ | ⑦　　祈 き | ⑧ |

とくべつな言葉……格子
　　　　ことば　　こうし

## 関係　復習
かんけい　ふくしゅう

【1】漢字の読み方を書いてください。
　　かんじ　よ　かた　か

| | |
|---|---|
| 1 | |

1. この研究にはたくさんの人が関わっている。
　　けんきゅう　　　　　　　ひと

2. 家族みんなが明るく元気で平和にすごせることを願う。
　　かぞく　　　あか　げんき　へいわ　　　　　　　　ねが

3. 来年、娘が結婚することになった。
　　らいねん　むすめ　けっこん

4. 彼はまだ、はたちなのに老けて見える。
　　かれ　　　　　　　　　　ふ　　み

5. みかんを一人で六個も食べてしまった。
　　　　　　ひとり　ろっこ　た

6. 山本君はクラスでとても人気がある。
　　やまもと　　　　　　　　にんき

7. これがだめなら、他の方法を考える必要がある。
　　　　　　　　　ほか　ほうほう　かんが　ひつよう

8. 初心を忘れずに、全力でがんばってください。
　　しょしん　わす　　　　ぜんりょく

9. 再来月ひっこしする予定で、今家を探している。
　　さらいげつ　　　　　　よてい　いまいえ　さが

10. 各クラス、代表者を一人選んでください。
　　かく　　　　だいひょうしゃ　ひとりえら

| | |
|---|---|
| 2 | |
| 3 | |
| 4 | |
| 5 | |
| 6 | |
| 7 | |
| 8 | |
| 9 | |
| 10 | |

【2】漢字を書いてください。
　　かんじ　か

1. A市とB市が友好かんけいを結ぶ。
　　し　　し　ゆうこう　　　　　　　　む

2. あのふうふは、どこへ行く時もいつもいっしょだ。
　　　　　　　　　　　　　い　とき

3. 病院でどうせいどうめいの名前が呼ばれておどろいた。
　　びょういん　　　　　　　　　なまえ　よ

4. ろうごは、外国でゆっくりくらしたい。
　　　　　　がいこく

5. このいすのこせいてきなデザインを気に入っている。
　　　　　　　　　　　　　　　　　き　い

6. 彼は明るいせいかくで、だれからも好かれている。
　　かれ　あか　　　　　　　　　　　　す

7. あの二人はなかが良くて、いつもいっしょにいる。
　　　ふたり　　　　よ

8. はじめて車を運転したときは、とてもきんちょうした。
　　　　　くるま　うんてん

9. この間、友人と20年ぶりにさいかいをした。
　　　あいだ　ゆうじん　ねん

10. 合否の結果がそくたつでとどいた。
　　ごうひ　けっか

| | |
|---|---|
| 1 | |
| 2 | |
| 3 | |
| 4 | |
| 5 | 的<br>てき |
| 6 | |
| 7 | |
| 8 | |
| 9 | |
| 10 | |

# 単位 1
たんい

単 タン
(9)
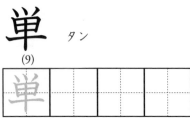

複 フク
(14)

全 まった-く すべ-て
ゼン
(6)
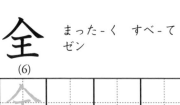

以 イ
(5)
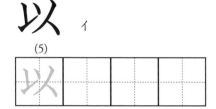

## 漢字を読みましょう
かんじ

① 彼は単独行動が多い。
かれ　こうどう　おお

② 言うのは簡単だが、やるのは難しい。
い　むずか

③ この事件は複数の人間が関係している。
じけん　にんげん　かんけい

④ さっき聞いた話と重複している。
き　はなし

⑤ 昨日のことは全く覚えていない。
きのう　おぼ

⑥ この店の料理は全ておいしい。
みせ　りょうり

⑦ 出された料理を全部食べてしまった。
だ　りょうり　た

⑧ 今日のテストは全然できなかった。
きょう

⑨ 明治以後、日本の近代化が進んだ。
めいじ　にほん　きんだいか　すす

⑩ テストの点が平均以下で、落ちこんだ。
てん　へいきん　お

| ① | ② かん | ③ | ④ | ⑤ |
|---|---|---|---|---|
| ⑥ | ⑦ | ⑧ | ⑨ | ⑩ |

## 漢字を書きましょう
かんじ　か

① かんたんな計算ミスをする。
けいさん

② グループたんいで行動する。
こうどう

③ ふくざつな気持ちになる。
きも

④ あんぜん第一で工事を進める。
だいいち　こうじ　すす

⑤ 決勝戦でかんぜんねんしょうした。
けっしょうせん

⑥ クラスぜんたいが同じ意見だった。
おな　いけん

⑦ このワインは一万円いじょうする。
いちまんえん

⑧ 三位いないに入ると、賞品がもらえる。
さんい　はい　しょうひん

| ① 簡 かん | ② 位 い | ③ 雑 ざっ | ④ |
|---|---|---|---|
| ⑤ | ⑥ | ⑦ | ⑧ |

# 単位2
たんい

未 ミ
(5)

満 み-ちる み-たす
マン
(12)

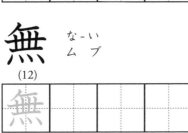

無 な-い
ム ブ
(12)

非 ヒ
(8)

## 漢字を読みましょう
かんじ よ

① 夫婦で子どもの未来について話す。
ふうふ　こ　　　　　　　　　はな

② 十さい未満の子どもは乗れません。
じっ　　　　　　　こ　　　　の

③ いいにおいが部屋に満ちる。
へや

④ ごちそうでおなかを満たす。

⑤ たばこのけむりが部屋に充満する。
へや

⑥ おいしい料理を食べて、満足する。
りょうり　た

⑦ しめきりまで、あと5日しか無い。
いつか

⑧ この店は年中無休だ。
みせ　ねんじゅう

⑨ 留学から無事に帰ってくる。
りゅうがく　　　　　　かえ

⑩ 公共の場で大声を出すのは非常識だ。
こうきょう　ば　おおごえ　だ

| ① | ② | ③ | ④ | ⑤ じゅう |
|---|---|---|---|---|
| ⑥ | ⑦ | ⑧ | ⑨ | ⑩ じょうしき |

## 漢字を書きましょう
かんじ か

① 次の会議の日時はみていだ。
つぎ　かいぎ　にちじ

② みせいねんの飲酒は禁止されている。
いんしゅ　きんし

③ やる気にみちた表情。
き　　　　　ひょうじょう

④ この飛行機の便は、もうまんせきだ。
ひこうき　びん

⑤ 彼女はむくちでおとなしい。
かのじょ

⑥ むりなお願いをする。
ねが

⑦ ミスした相手をひなんする。
あいて

⑧ ひじょうぐちを確認しておく。
かくにん

| ① | ② 成 | ③ | ④ |
|---|---|---|---|
|   | せい |   |   |
| ⑤ | ⑥ | ⑦ | ⑧ 常 |
|   |   |   | じょう |

# 7章～9章　アチーブメントテスト

**【1】次の文の下線をつけた言葉の読み方を①～④の中から選び、番号を書いてください。**

1. この箱の<u>中身</u>は何か知っていますか。
   ① なかみ　　　② なかしん　　　③ ちゅうみ　　　④ ちゅうしん

2. 42.195キロを走るには、相当の<u>持久力</u>が必要だ。
   ① ちきゅうりょく　② じきゅうりょく　③ じくりき　④ ちくりき

3. あの家の犬は<u>気性</u>があらくて、すぐにほえる。
   ① きしょう　　　② きせい　　　③ けしょう　　　④ けせい

4. <u>他</u>にもいいアイディアがあれば、教えてください。
   ① ほが　　　　② ほか　　　　③ た　　　　　④ だ

5. 今回は<u>幸い</u>なことに、大きなじこにはならなかった。
   ① わさわいな　② しあわいな　③ さいわいな　④ ならわいな

| 1 | | 2 | | 3 | | 4 | | 5 | |
|---|---|---|---|---|---|---|---|---|---|

**【2】次の文の下線をつけた言葉の書き方を①～④の中から選び、番号を書いてください。**

1. 旅行に行くためにお金をこつこつ<u>ためる</u>。
   ① 財める　　　② 溜める　　　③ 敗める　　　④ 貯める

2. 木村さんは、毎年<u>ふうふ</u>で旅行に出かけている。
   ① 夫妻　　　　② 主婦　　　　③ 夫婦　　　　④ 主妻

3. こちらに、<u>いちれつ</u>にならんでお待ちください。
   ① 一例　　　　② 一到　　　　③ 一倒　　　　④ 一列

4. こんなきれいなけしきを見たのは、生まれて<u>はじめて</u>だ。
   ① 初めて　　　② 始めて　　　③ 初て　　　　④ 始て

5. これは<u>こじんてき</u>な問題なので、ここでは言いたくありません。
   ① 子人的な　　② 小人的な　　③ 固人的な　　④ 個人的な

| 1 | | 2 | | 3 | | 4 | | 5 | |
|---|---|---|---|---|---|---|---|---|---|

【3】①〜⑳の下線部の漢字または読み方を書いてください。

## 父と母のなれ①初め

今日は、家族で父と母の②結婚20年を③いわった。

母は、④ともだちの⑤しょうかいで父と知り合い、出会ってから半年で⑥付き合い始めたそうだ。その後、父からのプロポーズで二人は⑦こんやくした。プロポーズの言葉は「君を一生⑧守る」だったそうだ。いつもはお酒をあまり飲まない母も、今日は久しぶりのお酒に少し⑨よったようで、うれしそうに話してくれた。

父は⑩無口な⑪性格で、仕事ばかりしていたので、まわりのともだちからは「山下⑫くんは一生⑬独身でいるんじゃないか。」と言われていたらしい。結婚すると聞いて、みんなとてもおどろいたそうだ。でも、たくさんの人に⑭しゅくふくされ、とてもいい⑮結婚式だったと母はなつかしそうに話していた。

今でもいっしょにさんぽに出かけたり、二人でテニスを習ったりと、⑯なかが良い。テニスの⑰上達は母の方が早いが、それでも父はとても楽しそうだ。そういう二人を見ていると、⑱むすめの私も⑲しあわせだ。いつまでもなか良くいてほしいと⑳願っている。

| ① | ② | ③ | ④ |
|---|---|---|---|
| ⑤ | ⑥ | ⑦ | ⑧ |
| ⑨ | ⑩ | ⑪ | ⑫ |
| ⑬ | ⑭ | ⑮ | ⑯ |
| ⑰ | ⑱ | ⑲ | ⑳ |

# ７章〜９章　クイズ

【1】A、Bから一つずつ合わせて漢字を作り、□に入れてください。
　　　Aは何度でも使えます。

A　　　　　B

糸
女
イ

＋

召
系
勺

吉
中
生

良

1. ほどけたくつのひもを□び直す。

2. 田中部長にはかわいい□さんがいる。

3. 結婚して□を変えた。

4. あの兄弟はいつもいっしょにいて、□がいい。

5. あの人とは何の関□もありません。

6. 彼女は今まで一度も□束をやぶったことがない。

7. いんしょうに残る自己□介をする。

【2】□から漢字を一字選んで、「無、未、初、再、非」を使った言葉を作ってください。（　　　）には読み方を書いてください。

無・未・非・初・再

（例）｜無｜{ 理…（ むり ）なお願いをして、すみません。
　　　　{ 事…（ ぶじ ）に家へ帰る。

1. □{ 口…彼は（　　　）で、ほとんどしゃべらない。
　　　{ 料…ここは入場（　　　）です。

2. □{ 来…子どもたちの（　　　）を考える。
　　　{ 定…本のタイトルは（　　　）です。

3. □{ 雪…東京に（　　　）が降った。
　　　{ 心…（　　　）を忘れずにがんばろう。

4. □{ 会…学生時代の友人と（　　　）した。
　　　{ 生…録画したDVDを（　　　）する。

5. □{ 難…友人の心無い言動を（　　　）する。
　　　{ 常…（　　　）じたいを知らせるベルが鳴る。

【3】（　　）に入る言葉を右の□から選んで、漢字に直して入れてください。

＊＊＊＊＊＊今月の顔＊＊＊＊＊＊

木村　花子さん　　　　料理研究家

〜おいしいものを食べると、①（　　　）を感じます〜

大手食品会社に入社し、商品開発を担当。
料理研究家のアシスタントを経験した後、2004年に②（　　　）。

全国③（　　　）の料理をヒントに、④（　　　）豊かなメニューの開発
に取り組んでいる。

夫と二人の⑤（　　　）の四人家族。しゅみは夫と旅行に行くこと。しょ
うらいは船でごうかな世界一周の旅に出るのが夢で、そのために五百万円
⑥（　　　）の⑦（　　　）を目指している。

とくい分野はフランス料理を独自にアレンジした⑧（　　　）。現在は本や
テレビなどを中心に活動している。

| かくち |
| いじょう |
| ちょきん |
| こせい |
| わしょく |
| しあわせ |
| どくりつ |
| むすめ |

【4】友子さんの結婚式に、友人のひとみさんが手紙を書きました。
　　下線の漢字の読み方を書いてください。

友子へ

①結婚おめでとう。高校時代のクラスメイトだった山川くんと友子が②夫婦になるなんて本

当にびっくりした。二人が2年前の同窓会で③再会してそれから④付き合っていたとは。

おとなしい性格の友子と⑤個性の強い⑥彼という組み合わせ…。でも二人ならきっと

⑦幸せなかていを作っていけるはず。彼も友子のことを⑧必ず⑨守ると親友のわたしに

⑩約束してくれたよ。二人の幸せを⑪願っています。

ひとみより

| ① | ② | ③ | ④ | ⑤ | ⑥ |
|---|---|---|---|---|---|
|   |   |   |   |   |   |

| ⑦ | ⑧ | ⑨ | ⑩ | ⑪ |
|---|---|---|---|---|
|   |   |   |   |   |

73

# 子ども（こ）

幼
おさな-い
ヨウ
(5)

児
ジ
ニ
(7)

童
わらべ
ドウ
(12)
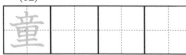

徒
ト
(10)

## 漢字を読みましょう
（かんじ）（よ）

① 子どもを幼稚園へ通わせる。
（こ）（かよ）

② 幼友達と久しぶりに会った。
（ひさ）（あ）

③ 幼少期から歌手にあこがれていた。
（かしゅ）

④ 彼は考え方が幼い。
（かれ）（かんが）（かた）

⑤ 小児科へ子どもを連れて行く。
（こ）（つ）（い）

⑥ 森さんは毎日育児でいそがしい。
（もり）（まいにち）

⑦ 母がよく童歌を歌ってくれた。
（はは）（うた）

⑧ 「ももたろう」は有名な童話である。
（ゆうめい）

⑨ アラビア半島にはイスラム教徒が多い。
（はんとう）（おお）

⑩ この学校の生徒数は 650 人です。
（がっこう）（にん）

| ① ち | ② | ③ | ④ | ⑤ |
|---|---|---|---|---|
| ⑥ | ⑦ | ⑧ | ⑨ | ⑩ |

## 漢字を書きましょう
（かんじ）（か）

① おさない 兄弟。
（きょうだい）

② ようじ 教育がとてもさかんだ。
（きょういく）

③ しょうにかの医者になりたい。
（いしゃ）

④ 一さい未満のにゅうじ。
（いっ）（みまん）

⑤ じどう会長に選ばれた。
（かいちょう）（えら）

⑥ ゆうえんちへ行くとどうしんにかえる。
（い）

⑦ せいとから人気がある先生。
（にんき）（せんせい）

⑧ 学校までとほで通う。
（がっこう）（かよ）

| ① | ② | ③ | ④ |
|---|---|---|---|
| ⑤ | ⑥ | ⑦ | ⑧ |

# 先生
せんせい

担　かつ-ぐ　にな-う
タン
(8)

担

任　まか-せる　まか-す
ニン
(6)

任

師　シ
(10)

師

組　く-む　くみ
ソ
(11)

組

## 漢字を読みましょう
かんじ　よ

① 重い荷物を担ぐ。
おも　にもつ

② 次世代を担う若い選手を育てる。
じ せだい　にな　わか　せんしゅ　そだ

③ 東京エリアを担当している。
とうきょう

④ 部下に安心して仕事を任せる。
ぶ か　あんしん　しごと

⑤ 田中氏が社長を辞任した。
たなかし　しゃちょう

⑥ 内科の医師に相談する。
ない か　そうだん

⑦ 恩師に手紙を書く。
てがみ　か

⑧ 同じ組の友達とあそぶ。
おな　ともだち

⑨ プラモデルを組み立てる。

⑩ 会社の組織図を作る。
かいしゃ　つく

| ① | ② | ③ | ④ | ⑤　じ |
|---|---|---|---|---|
| ⑥ | ⑦　おん | ⑧ | ⑨ | ⑩　しき |

## 漢字を書きましょう
かんじ　か

① 親にふたんをかけたくない。
おや

② たんにんの先生にほめられる。
せんせい

③ 大事な仕事を部長にまかされる。
だいじ　しごと　ぶちょう

④ 高校きょうしになりたい。
こうこう

⑤ ちょうりしとして病院で働く。
びょういん　はたら

⑥ うでをくんでじっくり考える。
かんが

⑦ 試合のくみあわせが決まった。
しあい　き

⑧ テレビばんぐみを録画する。
ろく が

| ① | ② | ③ | ④ |
|---|---|---|---|
| ⑤　調 ちょう | ⑥ | ⑦ | ⑧ |

とくべつな言葉……　師走
ことば　しわす

## 教室
きょうしつ

机　つくえ
　　キ
(6)

| 机 |  |  |  |
|---|---|---|---|

座　すわ-る
　　ザ
(10)

| 座 |  |  |  |
|---|---|---|---|

板　いた
　　ハン　バン
(8)

| 板 |  |  |  |
|---|---|---|---|

筆　ふで
　　ヒツ
(12)

| 筆 |  |  |  |
|---|---|---|---|

### 漢字を読みましょう
かんじ　よ

① 机をきれいにならべる。

② 父に学習机を買ってもらった。
　ちち　　　　　　　か

③ 公園のベンチに座る。
　こうえん

④ 星座うらないを信じる。
　せいざ

⑤ 木の板を買って、犬小屋を作った。
　き　　　　か　　　いぬごや　　つく

⑥ 黒板に字を大きく書く。
　こくばん　じ　おお　　か

⑦ 一人前の板前になりたい。
　いちにんまえ

⑧ 書道で使う筆を買う。
　しょどう　つか　　　か

⑨ 鉛筆を貸してください。
　えんぴつ　か

⑩ 万年筆をプレゼントする。
　まんねんひつ

| ① | ② | ③ | ④ | ⑤ |
|---|---|---|---|---|
| ⑥ | ⑦ | ⑧ | ⑨ えん | ⑩ |

### 漢字を書きましょう
かんじ　か

① いすをつくえの中に入れる。
　　　　　　なか

② たたみの部屋でせいざをする。
　　　　　へや

③ ソファにすわってテレビを見る。
　　　　　　　　　み

④ まないたで野菜を切る。
　　　　　やさい　き

⑤ ばんしょの内容をノートに写す。
　　　　　ないよう　　　　うつ

⑥ ひっしゃの意見に賛成だ。
　　　　　いけん　さんせい

⑦ ひっきしけんを受ける。
　　　　　　　う

⑧ ふでで字を書く。
　　　じ　か

| ① | ② | ③ | ④ |
|---|---|---|---|
| ⑤ | ⑥ | ⑦ | ⑧ |

とくべつな言葉……机上、板木
　　　　　ことば　きじょう　はんぎ

# 図書館
としょかん

貸　かーす
　　タイ
(12)

借　かーりる
　　シャク
(10)

返　かえーる　かえーす
　　ヘン
(7)

冊　サツ　サク
(5)

## 漢字を読みましょう
かんじ　　よ

① 友達に本を貸した。
ともだち　ほん

② 貸し会議室を探す。
かいぎしつ　さが

③ 貸借について法律で定められている。
ほうりつ　さだ

④ お金の貸し借りはやめなさい。
かね

⑤ 多くの借金をかかえる。
おお

⑥ 後ろをふり返る。
うし

⑦ 友達にノートを返す。
ともだち

⑧ メールにすぐに返信をした。

⑨ １ヵ月に本を三冊読んだ。
かげつ　ほん　　よ

⑩ 四月号は別冊付録がついている。
しがつごう　　べっさつふろく

| ① | ② | ③ | ④ | ⑤ |
|---|---|---|---|---|
| ⑥ | ⑦ | ⑧ | ⑨ | ⑩ べっ |

## 漢字を書きましょう
かんじ　か

① バスをかしきって遠足へ行った。
えんそく　い

② 図書館で本をかりる。
としょかん　ほん

③ しゃくちに家を建てた。
いえ　た

④ 同じ失敗をくりかえす。
おな　しっぱい

⑤ ねがえりをうつ。

⑥ 大きい声でへんじをする。
おお　こえ

⑦ 服をへんぴんしたい。
ふく

⑧ しょうさっしをくばる。

| ① | ② | ③ | ④ |
|---|---|---|---|
| ⑤ | ⑥ | ⑦ | ⑧ |

とくべつな言葉……　短冊
ことば　　　　　たんざく

77

## 体育
たいいく

具 グ
(8)
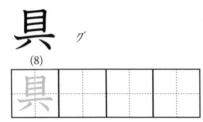

箱 はこ
(15)
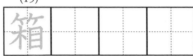

棒 ボウ
(12)
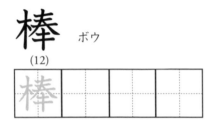

伸 の‐びる　の‐ばす　の‐べる
シン
(7)

### 漢字を読みましょう

① 調理道具をそろえる。
　ちょうり　　　よ

② 文具店でノートを買う。
　　　　　　　　　　　か

③ 具体例を出して説明した。
　れい　だ　　せつめい

④ 商品を箱につめる。
　しょうひん

⑤ 空き箱におもちゃをしまう。

⑥ 木の棒でたたかれた。
　き

⑦ 足が棒になるくらい歩いた。
　あし　　　　　　　　　ある

⑧ 1年で身長が5センチ伸びた。
　ねん　しんちょう

⑨ 救いの手を伸べる。
　すく　　て

⑩ 運動の前に屈伸をする。
　うんどう　まえ

| ① | ② | ③ | ④ | ⑤ |
|---|---|---|---|---|
| ⑥ | ⑦ | ⑧ | ⑨ | ⑩ くっ |

### 漢字を書きましょう

① 新しいかぐを買う。
　あたら　　　　　か

② 公園のゆうぐであそぶ。
　こうえん

③ 読んだマンガをほんばこにしまう。
　よ

④ 部屋のすみにゴミばこを置く。
　へ や　　　　　　　　　　お

⑤ 学校のてつぼうであそんだ。
　がっこう

⑥ 出世のチャンスをぼうにふる。
　しゅっせ

⑦ 学力をもっとのばしたい。
　がくりょく

⑧ 朝起きてのびをする。
　あさ お

| ① | ② 遊<br>ゆう | ③ | ④ |
|---|---|---|---|
| ⑤ | ⑥ | ⑦ | ⑧ |

# 学校　復習
（がっこう　ふくしゅう）

## 【1】漢字の読み方を書いてください。
（かんじ　よ　かた　か）

| | |
|---|---|
| 1 | |
| 2 | |
| 3 | |
| 4 | |
| 5 | |
| 6 | |
| 7 | |
| 8 | |
| 9 | |
| 10 | |

1. 父は会社で重大なにんむを担っている。
（ちち　かいしゃ　じゅうだい）

2. このぶんしょうで筆者が言いたいことは何だろうか。
（い　なん）

3. お手元の冊子の5ページをごらんください。
（てもと）

4. 小川さんはしっかりしているので何でも任せられる。
（おがわ　なん）

5. つかれたので、いすに座ってコーヒーを飲んだ。
（の）

6. 幼い兄弟を残して、りょうしんが亡くなった。
（きょうだい　のこ　な）

7. 机といすをきちんとならべてください。

8. 子どもがかぜを引いたので、小児科へ連れて行く。
（こ　ひ　つ　い）

9. 中学生の時、1年間で身長が10センチも伸びた。
（ちゅうがくせい　とき　ねんかん　しんちょう）

10. 昨日、図書館で本を借りた。
（きのう　としょかん　ほん）

## 【2】漢字を書いてください。
（かんじ　か）

| | |
|---|---|
| 1 | |
| 2 | |
| 3 | |
| 4 | |
| 5 | |
| 6 | |
| 7 | |
| 8 | |
| 9 | |
| 10 | |

1. 父は小学校のきょうしをしている。
（ちち　しょうがっこう）

2. 仲が良かった友達と、ちがうくみになってしまった。
（なか　よ　ともだち）

3. 先生がこくばんに書いた漢字が難しくて読めなかった。
（せんせい　か　かんじ　むずか　よ）

4. ひっこしをしたら、新しいかぐを買いたくなった。
（あたら　か）

5. 読み終わった本は、そのはこに入れてください。
（よ　お　ほん　い）

6. 子どものころ、母にどうわを読んでもらった。
（こ　はは　よ）

7. 友達が困っていたので、お金をかした。
（ともだち　こま　かね）

8. 山田先生は、どのせいとにも優しい。
（やまだせんせい　やさ）

9. メールのへんしんはすぐにするべきだ。

10. 昨日3時間も歩いたので、足がぼうになった。
（きのう　じかん　ある　あし）

# 希望
きぼう

希 キ
(7)

望 のぞ-む
ボウ モウ
(11)

夢 ゆめ dream
ム
(13)

的 まと
テキ
(8)

## 漢字を読みましょう
かんじ よ

① 希少動物をほごする。
きしょうどうぶつ

② 第一希望の大学に合格した。
だいいち だいがく ごうかく

③ 望遠鏡で星を見る。
ぼうえんきょう ほし み

④ 平和な世の中を望んでいる。
へいわ よ なか のぞ

⑤ 夢に好きな人が出てきた。
ゆめ す ひと で

⑥ テレビゲームに夢中になる。
むちゅう

⑦ オリンピック選手を夢見る。
せんしゅ ゆめみ

⑧ 彼女のファッションは注目の的だ。
かのじょ ちゅうもく まと

⑨ 今年は全国的に暑かった。
ことし ぜんこくてき あつ

⑩ 日本に来た目的を聞かれた。
にほん き もくてき き

| ① | ② | ③ きょう | ④ | ⑤ |
|---|---|---|---|---|
| ⑥ | ⑦ | ⑧ | ⑨ | ⑩ |

## 漢字を書きましょう
かんじ か

① きぼう校は、東京大学だ。
こう とうきょうだいがく

② カメラにぼうえんレンズをつける。

③ 彼の言動にしつぼうする。
かれ げんどう

④ あくむのような事件が起きる。
じけん お

⑤ 昨日見たゆめはこわかった。
きのうみ

⑥ アイドルにむちゅうだ。

⑦ ぐたいてきな例をあげて説明する。
れい せつめい

⑧ テストで予想がてきちゅうした。
よそう

| ① | ② | ③ 失
しっ | ④ 悪
あく |
|---|---|---|---|
| ⑤ | ⑥ | ⑦ | ⑧ |

## 学校探し
### がっこうさが

可 カ
(5)

可

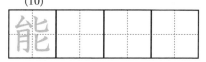

能 ノウ
(10)

能

調 しら-べる ととの-う
ととの-える
チョウ
(15)

調

選 えら-ぶ
セン
(15)

選

### 漢字を読みましょう
#### かんじ よ

① 可能なかぎりがんばりたい。

② 雨が降る可能性がある。
あめ ふ

③ 彼はすばらしい才能を持っている。
かれ も

④ 日本語能力試験を受けた。
にほんご う

⑤ 辞書で言葉の意味を調べる。
じしょ ことば いみ

⑥ 日本での生活は順調だ。
にほん せいかつ

⑦ 結婚式の準備が調った。
けっこんしき じゅんび

⑧ アンケート調査を 行 った。
おこな

⑨ 新しい市長を決める選挙がある。
あたら しちょう き

⑩ 家から近い学校を選ぶ。
いえ ちか がっこう

| ① | ② | ③ | ④ | ⑤ |
|---|---|---|---|---|
| ⑥ | ⑦ | ⑧ | ⑨ きょ | ⑩ |

### 漢字を書きましょう
#### かんじ か

① この世にふかのうなことはない。

② のうりょくを仕事にいかす。
しごと

③ せいのうが良い自動車。
よ じどうしゃ

④ 最近たいちょうがあまり良くない。
さいきん

⑤ 体のちょうしが悪い。
からだ わる

⑥ 塩を入れて味をととのえる。
しお い あじ

⑦ サッカーの日本代表にえらばれた。
にほんだいひょう

⑧ 私の姉はテニスせんしゅだ。
わたし あね

| ① | ② | ③ | ④ |
|---|---|---|---|
| ⑤ | ⑥ | ⑦ | ⑧ |

# 面接 1
めんせつ

面　おも　おもて　つら
　　メン
(9)

接　つ-ぐ
　　セツ
(11)

受　う-かる　う-ける
　　ジュ
(8)

落　お-ちる　お-とす
　　ラク
(12)

## 漢字を読みましょう
かんじ　よ

① 二次の面接試験にも合格した。
　にじ　　　　　　　　　ごうかく

② 彼女は面長美人だ。
　かのじょ　　めんなが　びじん

③ 彼は外面だけはいい。
　かれ

④ 私の家は大通りに面している。
　わたし　いえ　おおどお

⑤ バラの若木を接ぐ。
　　　わかぎ

⑥ 台風が接近している。
　たいふう

⑦ 投手のボールを受ける。
　とうしゅ

⑧ 大学を受験する。
　だいがく

⑨ さいふを落としてしまった。

⑩ 近所にかみなりが落ちた。
　きんじょ

| ① | ② | ③ | ④ | ⑤ |
|---|---|---|---|---|
| ⑥ | ⑦ | ⑧ | ⑨ | ⑩ |

## 漢字を書きましょう
かんじ　か

① ボールががんめんに当たった。
　　　　　　　　　　あ

② 湖のおもてに太陽が映る。
　みずうみ　　　たいよう　うつ

③ 人とせっする仕事がしたい。
　ひと　　　　　しごと

④ 大学の試験にうかった。
　だいがく　しけん

⑤ 電話が鳴ったのでじゅわきを取った。
　でんわ　な　　　　　　　　と

⑥ パソコンのでんげんをおとす。

⑦ 子どもが、かべにらくがきする。
　こ

⑧ らくごを見に行く。
　　　　　み　い

| ① | ② | ③ | ④ |
|---|---|---|---|
| ⑤ | ⑥ | ⑦ | ⑧ |

とくべつな言葉……　真面目、面白い
　　　　　ことば　　　まじめ　おもしろ

# 面接2
めんせつ

倍　バイ
(10)

率　ひき-いる
　　ソツ　リツ
(11)

平　たい-ら　ひら
　　ヘイ　ビョウ
(5)

均　キン
(7)

## 漢字を読みましょう
かんじ よ

① 野菜のねだんが例年の二倍になった。
　やさい　　　　　れいねん

② 彼は人一倍元気だ。
　かれ　　　　　げんき

③ カメラの倍率を変える。
　　　　　　　　か

④ 学生を率いて、遠足へ行く。
　がくせい　　　　えんそく　い

⑤ 雨が降る確率は10%だ。
　あめ　ふ

⑥ 荷物が入ったダンボールを平らに持つ。
　にもつ　はい　　　　　　　　も

⑦ 彼は入社以来ずっと平社員のままだ。
　かれ　にゅうしゃいらい

⑧ 平日の夕方はアルバイトをしている。
　　　　ゆうがた

⑨ 前回のテストの平均は80点だった。
　ぜんかい　　　　　　　　　てん

⑩ この店の商品は全て百円均一だ。
　　みせ　しょうひん　すべ

| ① | ② | ③ | ④ | ⑤ かく |
|---|---|---|---|---|
| ⑥ | ⑦ | ⑧ | ⑨ | ⑩ |

## 漢字を書きましょう
かんじ か

① 売り上げは去年のさんばいだ。
　う　あ　きょねん

② こうりつ良く仕事をする。
　　　　　よ　しごと

③ 先生が生徒をいんそつする。
　せんせい　せいと

④ へいわな世の中を望んでいる。
　　　　　よ　なか　のぞ

⑤ 私はへいせい元年生まれだ。
　わたし　　　　がんねん　う

⑥ たいらな岩の上に座る。
　　　　　いわ　うえ　すわ

⑦ てのひらを広げて手相を見てもらう。
　　　　　ひろ　　てそう　み

⑧ チャンスはびょうどうにあたえられる。

| ① | ② 効 | ③ | ④ |
|---|---|---|---|
|   | こう |   |   |
| ⑤ | ⑥ | ⑦ | ⑧ |

# 成績
せいせき

## 成
な-る　な-す
セイ　ジョウ
(6)

## 績
セキ
(17)

## 良
よ-い
リョウ
(7)

## 悪
わる-い
アク　オ
(11)

## 漢字を読みましょう

① この映画は前編と後編から成る。

② ロケットの打ち上げに成功する。

③ 成績が上がってうれしかった。

④ あの会社は最近業績が伸びている。

⑤ 気分が良くないので、早退した。

⑥ 検査の結果は良好だった。

⑦ あの店の商品は良心的なねだんだ。

⑧ 明日は天気が悪くなるそうだ。

⑨ 熱もあるし、悪寒もする。

⑩ 悪意に満ちた目でにらむ。

| ① | ② こう | ③ | ④ ぎょう | ⑤ |
|---|---|---|---|---|
| ⑥ | ⑦ | ⑧ | ⑨ | ⑩ |

## 漢字を書きましょう

① 会社の新しいビルがかんせいした。

② 子どものせいちょうを楽しみにする。

③ 世界記録をたっせいする。

④ せいじんしきに和服を着る。

⑤ じっせきが認められた。

⑥ ふりょうひんを返品する。

⑦ 友達にわるぐちを言われた。

⑧ 寒い中外出したら、かぜがあっかした。

| ① | ② | ③ | ④ |
|---|---|---|---|
| ⑤ | ⑥ | ⑦ | ⑧ |

とくべつな言葉……　成就
ことば　　　　　じょうじゅ

# 受験　復習
じゅけん　ふくしゅう

## 【1】漢字の読み方を書いてください。
かんじ　よ　かた　か

1. 写真をとるとき、倍率をちょうせいする。
しゃしん

2. 子どもの成長を写真に記録している。
こ　　　　　しゃしん　きろく

3. 校外学習の引率者は、全部で十人だ。
こうがいがくしゅう　　　　ぜんぶ　じゅうにん

4. 生まれたときから悪人だという人はいない。
う　　　　　　　　　　　　　　ひと

5. 大学に受かったことをすぐに親に報告した。
だいがく　　　　　　　　　　　　おや　ほうこく

6. 富士山を1時間で登るのは、不可能だ。
ふじさん　　じかん　のぼ

7. あまりに外面がいい人は、信用できない。
ひと　　しんよう

8. この店は良心的なねだんの商品ばかり置いている。
みせ　　　　　　　しょうひん　　お

9. 来週大学の面接があるので、先生に練習をお願いした。
らいしゅうだいがく　　　　　　　　　せんせい　れんしゅう　ねが

10. 体調をくずして、学校を3日間休んだ。
がっこう　　か かんやす

| | |
|---|---|
| 1 | |
| 2 | |
| 3 | |
| 4 | |
| 5 | |
| 6 | |
| 7 | |
| 8 | |
| 9 | |
| 10 | |

## 【2】漢字を書いてください。
かんじ　か

1. きぼうの大学に合格することができた。
だいがく　ごうかく

2. どこかで時計をおとしてしまったようだ。
とけい

3. ゲームにむちゅうになって、寝るのが遅くなった。
ね　　おそ

4. 代表チームをひきいて、外国チームと戦った。
だいひょう　　　　　　がいこく　　　たたか

5. 日本の車はせいのうがとてもいい。
にほん　くるま

6. フランス留学のもくてきは、おかし作りを学ぶことだ。
りゅうがく　　　　　　　　づく　　まな

7. 勉強時間は1日へいきん3時間ぐらいだ。
べんきょうじかん　　にち　　　　じかん

8. マラソンのオリンピック代表にえらばれた。
だいひょう

9. わからない言葉を辞書でしらべる。
ことば　じしょ

10. 彼はすばらしいせいせきで卒業した。
かれ　　　　　　　　　　そつぎょう

| | |
|---|---|
| 1 | |
| 2 | |
| 3 | |
| 4 | |
| 5 | |
| 6 | |
| 7 | |
| 8 | |
| 9 | |
| 10 | |

# 10章・11章　アチーブメントテスト

【1】次の文の下線をつけた言葉の読み方を①〜④の中から選び、番号を書いてください。

1. この<u>児童書</u>はおもしろいので大人でも十分に楽しめる。

   ① にどうしょ　　② じどうしょ　　③ こどうしょ　　④ しどうしょ

2. 会社では海外営業部でアジアを<u>担当</u>している。

   ① たんと　　② だんとう　　③ たんとう　　④ だんど

3. たたみの部屋では<u>正座</u>をするのが、日本のしゅうかんである。

   ① せいさ　　② しょうざ　　③ せいざ　　④ しょうさ

4. 入学祝いに、ずっと欲しかった<u>望遠鏡</u>を買ってもらった。

   ① ぼえん　　② ぽうえん　　③ ほうえん　　④ ぼうえん

5. あの店は<u>良心的な</u>ねだんなので、ひょうばんがいい。

   ① ひょうきんてきな　② ちょうしんてきな　③ きょうしんてきな　④ りょうしんてきな

| 1 | | 2 | | 3 | | 4 | | 5 | |
|---|---|---|---|---|---|---|---|---|---|

【2】次の文の下線をつけた言葉の書き方を①〜④の中から選び、番号を書いてください。

1. 学校の<u>せいせき</u>が良かったので、親にほめられた。

   ① 成積　　② 成績　　③ 成責　　④ 成席

2. この世の中に<u>ふかのう</u>なことはないと信じている。

   ① 不可能な　　② 不加能な　　③ 不日能な　　④ 不非能な

3. 人と<u>せっする</u>のが好きなので、ホテルで働きたいと思っている。

   ① 切する　　② 世する　　③ 折する　　④ 接する

4. <u>らくご</u>は日本を代表する芸能文化の一つだ。

   ① 落語　　② 楽語　　③ 落後　　④ 楽五

5. じゃまにならないように、ゴミばこは部屋の<u>すみ</u>に置いた。

   ① 板　　② 袋　　③ 棒　　④ 箱

| 1 | | 2 | | 3 | | 4 | | 5 | |
|---|---|---|---|---|---|---|---|---|---|

**【3】** ①〜⑳の下線部の漢字または読み方を書いてください。

---

## 私の日記
### わたし　にっき

| | |
|---|---|
| 4月7日<br>がつなのか | ついにみんなのあこがれの①<u>的</u>、小川君と同じ②<u>くみ</u>になった。やったあ！<br>③<u>担任</u>は田中先生。とても人気があって、どの④<u>せいと</u>にも優しい先生だ。 |
| 4月8日<br>がつようか | 小川君が学級委員に⑤<u>選ばれた</u>。さすがだなあ・・・ |
| 4月20日<br>がつはつか | 今日のテスト、⑥<u>平均点</u>より⑦<u>わるかった</u>。もっと勉強しなきゃ。<br>でも⑧<u>落ちこんで</u>いる私を小川君がはげましてくれた。 |
| 5月1日<br>がつついたち | 昨日かぜで休んだら、小川君がノートを⑨<u>貸して</u>くれた。ラッキー。明日<br>⑩<u>かえさ</u>なきゃならないから、がんばって勉強しよう。 |
| 7月21日<br>がつ　にち | 明日から夏休み。図書館で本を⑪<u>八冊</u>⑫<u>かりた</u>。 |
| 8月3日<br>がつみっか | 小川君が公園の⑬<u>鉄棒</u>でけんすいしているのを見た。かっこいい。 |
| 9月5日<br>がついつか | 身体測定で身長を測ったら、4月から5センチも⑭<u>のびて</u>いた。 |
| 1月22日<br>がつ　にち | 小川君と同じ高校を⑮<u>じゅけん</u>。⑯<u>ひっき</u>試験と⑰<u>面接</u>があった。人気高<br>なので⑱<u>ばいりつ</u>が高い。私も小川君も合格できますように・・・ |
| 2月1日<br>がつついたち | 二人とも⑲<u>希望</u>の高校に合格！ |
| 3月24日<br>がつにじゅうよっか | 卒業式・・・小川君に告白された。⑳<u>ゆめ</u>のような気分。 |

| ① | ② | ③ | ④ |
|---|---|---|---|
| ⑤ | ⑥ | ⑦ | ⑧ |
| ⑨ | ⑩ | ⑪ | ⑫ |
| ⑬ | ⑭ | ⑮ | ⑯ |
| ⑰ | ⑱ | ⑲ | ⑳ |

# 10章・11章　クイズ

【1】これは図書館にあるポスターです。ポスターには、まちがいが五つあります。
それを見つけて、例のように正しい漢字を書いてください。

ARC図書館のルール

①本は一週間 例）貸りる ことができます。
　窓付で、てつづきをしてください。
②一回に借りられる本は、五数までです。
③本は決められた日に帰してください。
④机に洛書きをしないでください。
⑤ゴミは、ゴミ具に入れてください。

| | × | ○ |
|---|---|---|
| 例）貸りる | | 借りる |
| ① | | |
| ② | | |
| ③ | | |
| ④ | | |
| ⑤ | | |

【2】リンさんはスーパーでアルバイトをしようと思っています。
右から漢字を選んで□に書いて、読み方も（　　　）に書いてください。

店長：それでは①□□（　　　　　）を始めます。
　　　リンさんは今どこに住んでいますか。

リン：渋谷です。ここまで②□□（　　　　　）で来ました。

店長：近いですね。では、③□□（　　　　　）の曜日はありますか。

リン：水曜日以外ならできます。

店長：そうですか、わかりました。
　　　それでは、これから日本語の④□□（　　　　　）試験をします。

リン：え？　今から日本語の試験があるんですか。

店長：かんたんな会話文を書くテストです。
　　　お客様とは日本語で話してもらいますから。

リン：わかりました。がんばります。

・・・・・・・・・・・・・・・・・・・・・・・・・・・・・・・・・

店長：おつかれさまでした。結果は明日電話します。

リン：はい、よろしくお願いします。

記
徒
接
筆
面
望
歩
希

【3】花子さんと和子さんが小学校の同窓会で会いました。
下線部のひらがなには漢字を、漢字には読み方を書いてください。

花子： あの、①ふりょうだった田中君、ずいぶん②真面目になったね。

和子： うん。今は③いたまえらしいよ。5年前に④調理師めんきょを

取って、すし屋で働いているんだって。

花子： あのころは、⑤つくえに⑥落書きしたり、⑦鉄棒にガムを

つけたり・・・

和子： そうそう、いつも先生に怒られてたよね。

| ① | ② | ③ | ④ |
|---|---|---|---|
|   |   |   |   |

| ⑤ | ⑥ | ⑦ | |
|---|---|---|---|
|   |   |   | |

【4】 ①〜⑩の読み方を書いてください。

# 頭の元気度チェック‼

あてはまるものに☑をしてください。

□ 小学校の時、同じ①組だった友達の名前を五人以上言えない。

□ 中学校一年生の時の②担任の先生の名前が言えない。

□ ③成績が急に④悪くなった。

□ 気付くとぼーっと⑤座っていることがある。

□ 最近⑥落ちこむことが多い。

□ 今、⑦夢がない。

･･････････････････････････････････････････････････････

☑が5〜6個：頭の元気がなくなっている⑧可能性があります。今すぐ⑨医師に相談を！

☑が3〜4個：最近つかれていませんか？たまには⑩伸びをして、頭を休めて！

☑が1〜2個：今は元気ですが、油断しないで！

☑が0個　：あなたの頭はまだまだ元気！夢に向かってがんばろう！

| ① | ② | ③ | ④ | ⑤ |
|---|---|---|---|---|
|   |   |   |   |   |

| ⑥ | ⑦ | ⑧ | ⑨ | ⑩ |
|---|---|---|---|---|
|   |   |   |   |   |

# 1章～11章　まとめテスト

【1】次の文の下線をつけた言葉の読み方を①～④の中から選び、番号を書いてください。

1. しょうらいのために、毎月三万円ずつ貯金している。
   ① ちょうきん　　② よきん　　③ ちょきん　　④ ようきん

2. テストの成績で、田中さんに勝る者はいない。
   ① かつる　　② しょうる　　③ まさる　　④ かる

3. 最近は、お茶わんなどの食器も百円均一のお店で売っている。
   ① ちんいつ　　② たんいつ　　③ かんいつ　　④ きんいつ

4. コンサート会場へ向かうとちゅうで、ぐうぜん学校の友達に会った。
   ① むかう　　② つかう　　③ うかう　　④ ぬかう

5. 昨日はお酒を飲みすぎて、どうやって帰ったのか全く覚えていない。
   ① くったく　　② まったく　　③ ぜったく　　④ もったく

| 1 | | 2 | | 3 | | 4 | | 5 | |
|---|---|---|---|---|---|---|---|---|---|

【2】次の文の下線をつけた言葉の書き方を①～④の中から選び、番号を書いてください。

1. 山田さんはかわいいし、せいかくもいいので、みんなの人気者だ。
   ① 性格　　② 正格　　③ 姓格　　④ 生格

2. けんこうのために、毎日やさいを食べるようにしている。
   ① 野菜　　② 野細　　③ 谷菜　　④ 野才

3. 熱があるので、医者からにゅうよくや運動はやめたほうがいいと言われた。
   ① 入湯　　② 入浴　　③ 入洗　　④ 入活

4. えいえんに変わらぬ愛など、本当にあるのだろうか。
   ① 英円に　　② 永園に　　③ 永遠に　　④ 英遠に

5. 昨日デパートでスカートを買ったが、サイズが小さかったのでへんぴんしたい。
   ① 辺品　　② 借品　　③ 返品　　④ 貸品

| 1 | | 2 | | 3 | | 4 | | 5 | |
|---|---|---|---|---|---|---|---|---|---|

【3】①〜⑳の下線部の漢字または読み方を書いてください。

---

レポーター ： みなさんお待たせいたしました。

今日のレースで①ゆうしょうした村田②選手にインタビュー

をしたいと思います。本日はおめでとうございます。

村田 ： ありがとうございます。

レポーター ： 今日のレースをふり③返って一言お願いします。

村田 ： 最後の3キロは、スピードが④おちてしまって⑤ざんねんでしたが、自分の

持っている力を全て出せたので良かったと思います。

レポーター ： この1年間、⑥なやんだこともあったと聞いていますが・・・

村田 ： ええ、⑦記録が⑧のびなくて、大変な⑨時期もありましたが、⑩仲間や自

分を⑪しんじてここまで来ることができました。

レポーター ： ⑫昨年⑬けっこんされたのも大きなパワーになったのでは？

村田 ： そうですね。妻も先月生まれた⑭娘も、⑮よろこんでくれていると思います。

レポーター ： 最後に、おうえんしてくれたみなさんにメッセージをお願いします。

村田 ： はい。⑯ゆめをあきらめずに練習すれば、きっといい⑰結果が出ます。みな

さんもがんばってください。⑱温かいご声えん、ありがとうございました。

レポーター ： 村田選手、すてきな⑲えがおをありがとうございました。

⑳以上、村田選手のインタビューでした。

---

| ① | ② | ③ | ④ |
|---|---|---|---|
| ⑤ | ⑥ | ⑦ | ⑧ |
| ⑨ | ⑩ | ⑪ | ⑫ |
| ⑬ | ⑭ | ⑮ | ⑯ |
| ⑰ | ⑱ | ⑲ | ⑳ |

# 授業
じゅぎょう

授 さず-かる　さず-ける
ジュ
(11)

業 わざ
ギョウ　ゴウ
(13)

級 キュウ
(9)

卒 ソツ
(8)

## 漢字を読みましょう
かんじ　　よ

① 子どもを授かる。
こ

② 市長はチームに優勝カップを授けた。
しちょう　　　　　　ゆうしょう

③ あのシュートが入るなんてまさに神業だ。
はい

④ 日本語の授業を受けている。
にほんご　　　　う

⑤ 仕事がいそがしくて2時間も残業した。
しごと　　　　　　じかん

⑥ 初級のクラスで勉強する。
べんきょう

⑦ 高級なレストランで食事をした。
しょくじ

⑧ 高校時代の同級生に会った。
こうこうじだい　　　　あ

⑨ 父が脳卒中で倒れてしまった。
ちち　　　　　　たお

⑩ 大学を卒業したら、日本で働きたい。
だいがく　　　　　　にほん　はたら

| ① | ② | ③ | ④ | ⑤ |
|---|---|---|---|---|
| ⑥ | ⑦ | ⑧ | ⑨　のう | ⑩ |

## 漢字を書きましょう
かんじ　か

① じゅぎょうは9時から始まる。
じ　　はじ

② 昨日大学のきょうじゅに会った。
きのうだいがく　　　　　あ

③ しばらく店をきゅうぎょうする。
みせ

④ ざんぎょうが多くてつかれている。
おお

⑤ 彼女はちゅうきゅうクラスの学生だ。
かのじょ　　　　　　　　がくせい

⑥ テストに合格して2年生にしんきゅうした。
ごうかく　　　　ねんせい

⑦ 去年大学をそつぎょうしたばかりだ。
きょねんだいがく

⑧ そつろんのしめきりは明日だ。
あした

| ① | ② | ③ | ④ |
|---|---|---|---|
| ⑤ | ⑥ | ⑦ | ⑧　　　論 ろん |

とくべつな言葉……　業をにやす
ことば　　　　ごう

# 欠席
けっせき

欠　か-ける　か-く
　　ケツ
(4)
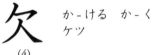

席　セキ
(10)
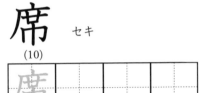

由　よし
　　ユ　ユウ　ユイ
(5)

訳　わけ
　　ヤク
(11)
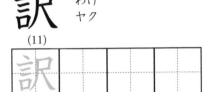

## 漢字を読みましょう
かんじ

① 茶わんのふちが欠けてしまった。
ちゃ

② 注意を欠いて、大きなミスをした。
ちゅうい　　　　　おお

③ 病気で授業を欠席する。
びょうき　じゅぎょう

④ 自分の席に着く。
じぶん　　　つ

⑤ 客席からかんせいがあがった。
きゃくせき

⑥ 彼の安否は知る由もない。
かれ　あんぴ　し

⑦ モスクワを経由してパリへ行った。
けいゆ

⑧ 遅れた理由は何ですか。
おく　　りゆう　なん

⑨ きっと何か訳があるのだろう。
なに

⑩ この文を英語に訳してください。
ぶん　えいご

| ① | ② | ③ | ④ | ⑤ |
|---|---|---|---|---|
| ⑥ | ⑦ | ⑧ | ⑨ | ⑩ |

## 漢字を書きましょう
かんじ　か

① 常識にかける行動はしないでください。
じょうしき　こうどう

② 彼のけってんは短気なところだ。
かれ　　　　　たんき

③ しんかんせんのしていせきを予約した。
よやく

④ 会場で自分のざせきを探す。
かいじょう　じぶん　　　　さが

⑤ ここはゆいしょある寺だ。
てら

⑥ じゆうに話し合ってください。
はな　あ

⑦ 名前のゆらいを調べた。
なまえ　　　　しら

⑧ 彼女はいいわけばかりする。
かのじょ

| ① | ② | ③ 指 し | ④ |
|---|---|---|---|
| ⑤ 　　　緒 しょ | ⑥ | ⑦ | ⑧ |

# 説明
せつめい

例　たと-える
　　レイ
(8)

易　やさ-しい
　　エキ　イ
(8)

解　と-ける　と-く　と-かす
　　カイ　ゲ
(13)

説　と-く
　　セツ　ゼイ
(14)

## 漢字を読みましょう
かんじ　よ

① 都会に住みたい。例えば東京。
　とかい　す　　　　とうきょう

② 運動会は例年通り行われる。
　うんどうかい　　　　　　おこな

③ 易しい言葉で話す。
　やさ　ことば　はな

④ 安易な考え方をしてはいけない。
　あんい　かんが　かた

⑤ 貿易に関係がある仕事がしたい。
　ぼうえき　かんけい　　しごと

⑥ 難しい問題が解けて、うれしい。
　むずか　もんだい　と

⑦ 筆者の考えがやっと理解できた。
　ひっしゃ　かんが　　　　りかい

⑧ 数学の問題を解いてみる。
　すうがく　もんだい　と

⑨ 社長は社員に会社の理念を説いた。
　しゃちょう　しゃいん　かいしゃ　りねん　と

⑩ パソコンの使い方を説明した。
　　　　　　つか　かた　せつめい

| ① | ② | ③ | ④ | ⑤　ぼう |
|---|---|---|---|---|
| ⑥ | ⑦ | ⑧ | ⑨ | ⑩ |

## 漢字を書きましょう
かんじ　か

① れいを見て答えてください。
　　み　こた

② れいがいを認めない。
　　　みと

③ じつれいをあげて話す。
　　　　　　はな

④ あんいに返事をする。
　　　へんじ

⑤ 問題集のかいせつを読む。
　もんだいしゅう　　よ

⑥ げねつざいを飲んだら、熱が下がった。
　　　　　　の　ねつ　さ

⑦ わかりやすくせつめいしてください。

⑧ 物の道理をとく。
　もの　どうり

| ① | ② | ③ | ④ |
|---|---|---|---|
| ⑤ | ⑥　　　剤 ざい | ⑦ | ⑧ |

とくべつな言葉……髪を解かす、遊説
　　　　　ことば　　かみ　と　　ゆうぜい

# 努力
どりょく

覚　おぼ-える　さ-ます　さ-める
　　カク
(12)

忘　わす-れる
　　ボウ
(7)

努　つと-める
　　ド
(7)

続　つづ-く　つづ-ける
　　ゾク
(13)

## 漢字を読みましょう

① 漢字を350字覚えた。
② 鳥の声で目を覚ます。
③ 動物の視覚について調べる。
④ 仕事を辞める覚悟を決めた。
⑤ 家に忘れ物を取りに帰る。
⑥ 忘年会の予約をする。
⑦ 早寝早起に努める。
⑧ 林さんは努力家だ。
⑨ 漢字の勉強を毎日続ける。
⑩ 連続ドラマを毎週見ている。

| ① | ② | ③ し | ④ 　　ご | ⑤ |
|---|---|---|---|---|
| ⑥ | ⑦ | ⑧ | ⑨ | ⑩ れん |

## 漢字を書きましょう

① 朝5時に目がさめた。
② 寒さで手のかんかくがなくなる。
③ 大人になるとみかくが変わる。
④ 宿題をわすれて先生に怒られた。
⑤ 事件の解決につとめる。
⑥ どりょくを重ねることは大切だ。
⑦ 雨が3日間ふりつづいている。
⑧ けいぞくは力なり。

| ① | ② | ③ | ④ |
|---|---|---|---|
| ⑤ | ⑥ | ⑦ | ⑧ 継 |

# 勉強
べんきょう

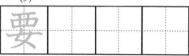
要 いーる　かなめ
ヨウ
(9)

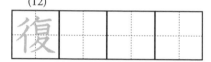
復 フク
(12)

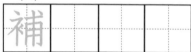
補 おぎなーう
ホ
(12)

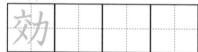
効 きーく
コウ
(8)

## 漢字を読みましょう
かんじ　よ

① これはかなり根気が<u>要る</u>仕事だ。
こんき　　　しごと

② 山下選手はチームの<u>要</u>だ。
やましたせんしゅ

③ 旅行に<u>必要</u>な費用を計算する。
りょこう　　　　　ひよう　けいさん

④ 文章を<u>要約</u>して、自分の意見を書く。
ぶんしょう　　　　　じぶん　いけん　か

⑤ 学校と家を<u>往復</u>する。
がっこう　いえ

⑥ 来月から仕事に<u>復帰</u>する。
らいげつ　　しごと

⑦ サプリメントでビタミンを<u>補って</u>いる。

⑧ テストの点が悪くて、<u>補習</u>を受けた。
てん　わる　　　　　　　う

⑨ この薬は<u>効き目</u>が早い。
くすり　　　　　　はや

⑩ がんばって練習した<u>効果</u>が表れる。
れんしゅう　　　　　あらわ

| ① | ② | ③ | ④ | ⑤ おう |
|---|---|---|---|---|
| ⑥ | ⑦ | ⑧ | ⑨ | ⑩ |

## 漢字を書きましょう
かんじ　か

① <u>しゅよう</u>なメンバーで会議をする。

② 彼は<u>ようちゅうい</u>人物だ。
かれ　　　　　　　じんぶつ

③ 母の病気が<u>かいふく</u>した。
はは　びょうき

④ 授業の<u>ふくしゅう</u>はとても大切だ。
じゅぎょう　　　　　　たいせつ

⑤ 水分を<u>ほきゅう</u>する。
すいぶん

⑥ 市長に<u>りっこうほ</u>する。
しちょう

⑦ チケットが<u>むこう</u>になる。

⑧ お金を<u>ゆうこう</u>に使う。
かね　　　　　　　つか

| ① | ② | ③ | ④ |
|---|---|---|---|
| ⑤ 　　　給 きゅう | ⑥ 　　候 こう | ⑦ | ⑧ |

# 授業　復習
じゅぎょう　　ふくしゅう

## 【1】漢字の読み方を書いてください。
かんじ　よ　かた　か

| | |
|---|---|
| 1 | |
| 2 | |
| 3 | |
| 4 | |
| 5 | |
| 6 | |
| 7 | |
| 8 | |
| 9 | |
| 10 | |

1. 結婚10年目に赤ちゃんを授かった。
けっこん　ねんめ　あか

2. 欠席するときは必ず学校に電話してください。
かなら　がっこう　でんわ

3. 海外の人気小説を日本語に訳した。
かいがい　にんき　しょうせつ　にほんご

4. 例年通り、文化祭は11月に行われる。
ぶんかさい　がつ　おこな

5. 易しい言い方で子どもに接する。
い　かた　こ　せっ

6. 日本語が上手になるためには、毎日の努力が大切だ。
にほんご　じょうず　まいにち　たいせつ

7. 4日間連続で雨が降っている。
よっかかん　あめ　ふ

8. テストでは、かんたんな問題から解くといい。
もんだい

9. 工場を見学するには予約が要る。
こうじょう　けんがく　よやく

10. 薬が効いて、すぐに熱が下がった。
くすり　き　ねっ　さ

## 【2】漢字を書いてください。
かんじ　か

| | |
|---|---|
| 1 | |
| 2 | |
| 3 | |
| 4 | |
| 5 | |
| 6 | |
| 7 | |
| 8 | |
| 9 | |
| 10 | |

1. 久しぶりの旅行だから、こうきゅうホテルにとまった。
ひさ　りょこう

2. 大学をそつぎょうして、商社で働いている。
だいがく　しょうしゃ　はたら

3. きゃくせきから大きなはくしゅをもらった。
おお

4. 漢字を一日四つずつおぼえるのは大変だ。
かんじ　いちにちよっ　たいへん

5. かぎを家の中にわすれて、家に入れなかった。
いえ　なか　いえ　はい

6. 毎日授業のふくしゅうをすれば日本語が上手になる。
まいにちじゅぎょう　にほんご　じょうず

7. 外国の文化をりかいするのには時間がかかる。
がいこく　ぶんか　じかん

8. パソコンの使い方をせつめいしてもらった。
つか　かた

9. 学費をおぎなうためにアルバイトをしている。
がくひ

10. 彼女が会社を辞めたりゆうを知っていますか。
かのじょ　かいしゃ　や　し

**13章**
# 地球
ちきゅう

# 生物
せいぶつ

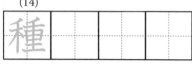
種 たね／シュ (14)

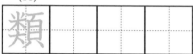
類 たぐい／ルイ (18)

存 ソン　ゾン (6)

在 あ-る／ザイ (6)

## 漢字を読みましょう
かんじ　よ

① 畑にかぼちゃの種をまいた。
　はたけ

② これは新しい品種のりんごだ。
　　　　あたら

③ 彼は類まれな才能を持っている。
　かれ　　　　さいのう　も

④ 書類をコピーする。

⑤ いろいろな種類の花を売っている。
　　　　　　　　　　はな　う

⑥ 会社を存続させるために努力する。
　かいしゃ　　　　　　　　　どりょく

⑦ 米は低温で保存したほうがいい。
　こめ　ていおん

⑧ UFOの存在を信じますか。
　　　　　　　　しん

⑨ 教育の在り方を考える。
　きょういく　　　　かんが

⑩ 彼は〇〇大学に在学している。
　かれ　　　だいがく

| ① | ② | ③ | ④ | ⑤ |
|---|---|---|---|---|
| ⑥ | ⑦ | ⑧ | ⑨ | ⑩ |

## 漢字を書きましょう
かんじ　か

① ひまわりのたねを買った。
　　　　　　　　か

② じんしゅによって目の色がちがう。
　　　　　　　　め　いろ

③ 大切なしょるいをなくしてしまった。
　たいせつ

④ じんるいのたんじょう。

⑤ 彼女は目立たないそんざいだ。
　かのじょ　めだ

⑥ 体力をおんぞんする。
　たいりょく

⑦ せいぞん者を探す。
　　　　　しゃ　さが

⑧ ざいたくで仕事をしている。
　　　　　　しごと

| ① | ② | ③ | ④ |
|---|---|---|---|
| ⑤ | ⑥ | ⑦ | ⑧ |

# 天体
てんたい

*yang; the positive; the open; a visible place* (handwritten)

## 陽 ヨウ
(12)

| 陽 | | | |
|---|---|---|---|

## 巨 キョ
(5)

| 巨 | | | |
|---|---|---|---|

## 氷 こおり ひ ヒョウ
*ice* (handwritten)
(5)

| 氷 | | | |
|---|---|---|---|

## 河 かわ カ
(8)

| 河 | | | |
|---|---|---|---|

## 漢字を読みましょう
かんじ　よ

① 太陽は東からのぼって西にしずむ。
たいよう　ひがし　　　　　にし

② 陽光がさんさんとふり注ぐ。
ようこう　　　　　　　そそ

③ 田中さんは陽気な人だ。
たなか　　　ようき　ひと

④ 巨大なドームを建設している。
きょだい　　　　　けんせつ

⑤ 池の表面に氷がはった。
いけ　ひょうめん　こおり

⑥ 気温が氷点下になる。
きおん　ひょうてんか

⑦ 中国の河は日本の川と比べて大きい。
ちゅうごく　かわ　にほん　かわ　くら　　おお

⑧ 氷河がとけてきている。
ひょうが

⑨ 台風で河川がはんらんした。
たいふう　かせん

⑩ 船で運河をわたる。
ふね　うんが

| ① | ② | ③ | ④ | ⑤ |
|---|---|---|---|---|
| ⑥ | ⑦ | ⑧ | ⑨ | ⑩ |

## 漢字を書きましょう
かんじ　か

① たいようの黒点について調べる。
こくてん　　　　　しら

② 検査の結果はようせいだった。
けんさ　けっか

③ 政界のきょじん。
せいかい

④ きょがくの費用を投じる。
ひよう　とう

⑤ こおりのように冷たい手。
つめ　て

⑥ かきごおりにシロップをかける。

⑦ 今回の事件はひょうざんの一角だ。
こんかい　じけん　　　　　　いっかく

⑧ 川のかこうでつりをする。
かわ

| ① | ② | ③ | ④ 額 |
|---|---|---|---|
| | | | がく |
| ⑤ | ⑥ | ⑦ | ⑧ |

## とくべつな言葉…… 氷雨
ことば　　　ひさめ

# 自然
しぜん

季 キ
(8)

候 そうろう
コウ
(10)

暖 あたた-まる　あたた-める
あたた-かい　あたた-か
ダン
(13)

流 なが-れる　なが-す
リュウ　ル
(10)

## 漢字を読みましょう
かんじ　よ

① 日本には四季がある。
にほん

② 季節が変わる。
か

③ 日本の気候について調べる。
にほん　しら

④ 天候不順の日が続いている。
ふじゅん　ひ　つづ

⑤ 暖かな春の日ざしを浴びる。
はる　あ

⑥ 部屋が暖まる。
へや

⑦ 地球温暖化が進んでいる。
ちきゅう　すす

⑧ 川が市内を流れている。
かわ　しない

⑨ 涙を流しながらあやまった。
なみだ

⑩ インフルエンザが流行している。

| ① | ② せつ | ③ | ④ | ⑤ |
|---|---|---|---|---|
| ⑥ | ⑦ | ⑧ | ⑨ | ⑩ |

## 漢字を書きましょう
かんじ　か

① うきにはたくさん雨が降る。
ふ

② とうきオリンピックをテレビで見る。
み

③ こうほしゃの中から市長を選ぶ。
なか　しちょう　えら

④ 起きたらすぐ部屋をあたためる。
お　へや

⑤ あたたかい日が続く。
ひ　つづ

⑥ 今年はだんとうで、雪が少ない。
ことし　ゆき　すく

⑦ エラーで試合のながれが変わった。
しあい　か

⑧ りゅうひょうが岸に流れついた。
きし　なが

| ① | ② | ③ 者 | ④ |
|---|---|---|---|
|   |   | しゃ |   |
| ⑤ | ⑥ | ⑦ | ⑧ |

## とくべつな言葉…… 候文、流布
ことば　そうろうぶん　るふ

# 地形 1
ちけい

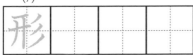

形　かた　かたち
　　ケイ　ギョウ

(7)

| 形 | | | | |
|---|---|---|---|---|

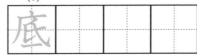

底　そこ
　　テイ

(8)

| 底 | | | | |
|---|---|---|---|---|

深　ふか-まる　ふか-める　ふか-い
　　シン

(11)

| 深 | | | | |
|---|---|---|---|---|

浅　あさ-い
　　セン

(9)

| 浅 | | | | |
|---|---|---|---|---|

## 漢字を読みましょう
かんじ　よ

① 火事で家がかげも形もなくなった。
　かじ　いえ　かたち

② 地形図を持って山に登る。
　ちけいず　も　やま　のぼ

③ めいに人形をプレゼントする。
　にんぎょう

④ 水がよごれていて川の底が見えない。
　みず　かわ　そこ　み

⑤ 温暖化の原因を徹底的に調べる。
　おんだんか　げんいん　てっていてき　しら

⑥ このプールは深いので注意が必要だ。
　ふか　ちゅうい　ひつよう

⑦ 秋が深まって紅葉がうつくしい。
　あき　ふか　こうよう

⑧ 深夜までアルバイトをしている。
　しんや

⑨ 私の考えが浅かった。
　わたし　かんが　あさ

⑩ 川の深浅を測る。
　かわ　しんせん　はか

| ① | ② | ③ | ④ | ⑤ てっ |
|---|---|---|---|---|
| ⑥ | ⑦ | ⑧ | ⑨ | ⑩ 　　　ぱく |

## 漢字を書きましょう
かんじ　か

① 雨にぬれて洋服のかたがくずれた。
　あめ　ようふく

② 昔ながらのけいしきで結婚式を行う。
　むかし　けっこんしき　おこな

③ 心のそこからお礼を言う。
　こころ　れい　い

④ さんかくけいのていへんの長さを測る。
　なが　はか

⑤ かいてい調査をする。
　ちょうさ

⑥ 日本人と交流をふかめる。
　にほんじん　こうりゅう

⑦ しんかいに住む魚。
　す　さかな

⑧ あさい海で泳ぐ。
　うみ　およ

| ① | ② | ③ | ④ 　　　角 |
|---|---|---|---|
| ⑤ | ⑥ | ⑦ | ⑧ |

## 地形2
ちけい

島 しま
　トウ
(10)

| 島 | | | |
|---|---|---|---|

陸 リク
(11)

| 陸 | | | |
|---|---|---|---|

岸 きし
　ガン
(8)

| 岸 | | | |
|---|---|---|---|

坂 さか
　ハン
(7)

| 坂 | | | |
|---|---|---|---|

### 漢字を読みましょう
かんじ　よ

① 日本は島国だ。
にほん

② 結婚して大島の島民となった。
けっこん　　おおしま

③ 無人島を発見した。
はっけん

④ 9時に飛行機が着陸する予定だ。
じ　ひこうき　　　　　よてい

⑤ 台風が九州に上陸した。
たいふう　きゅうしゅう

⑥ 利根川の岸辺をさんぽする。
とねがわ

⑦ 毎朝海岸をランニングしている。
まいあさ

⑧ 船が岸壁に着いた。
ふね　　　　つ

⑨ 坂道で転んだ。
ころ

⑩ 急坂を車で上る。
くるま　のぼ

| ① | ② みん | ③ | ④ | ⑤ |
|---|---|---|---|---|
| ⑥ | ⑦ | ⑧ ぺき | ⑨ | ⑩ |

### 漢字を書きましょう
かんじ　か

① 下北はんとうへドライブに行く。
しもきた

② 天草しょとうを観光する。
あまくさ　　　　　　かんこう

③ 海ガメが産卵でりくに上がる。
うみ　　　　さんらん　　あ

④ りくじょう選手。
せんしゅ

⑤ アメリカたいりくを横断する。
おうだん

⑥ かわぎしにきれいな花がさいている。
はな

⑦ おひがんにはかまいりをする。

⑧ 上りざかが続く道。
のぼ　　　　つづ　みち

| ① | ② 諸 しょ | ③ | ④ |
|---|---|---|---|
| ⑤ | ⑥ | ⑦ | ⑧ |

# 地球　復習
ちきゅう　ふくしゅう

## 【1】 漢字の読み方を書いてください。
かんじ　よ　かた　か

1. たばこは依存度が高いのでやめられない人が多い。
   ど　たか　　　　　　　　　ひと　おお

2. この会社では、森部長の存在が大きい。
   かいしゃ　　もりぶちょう　　　　　おお

3. 気温が氷点下になると、水がこおる。
   きおん　　　　　　　　みず

4. 巨大などうくつが発見された。
   はっけん

5. 彼女はとても陽気な人だ。
   かのじょ　　　　　　ひと

6. ここは気候が温暖で過ごしやすい。
   おんだん　す

7. 船はスエズ運河を通り、インドへ向かった。
   ふね　　　　　　とお　　　　　　む

8. 海の底にはめずらしい魚がいる。
   うみ　　　　　　　　　さかな

9. 深夜にいたずら電話がかかってきた。
   でんわ

10. 1492年にコロンブスが新大陸を発見した。
    ねん　　　　　　　　　　はっけん

| | |
|---|---|
| 1 | |
| 2 | |
| 3 | |
| 4 | |
| 5 | |
| 6 | |
| 7 | |
| 8 | |
| 9 | |
| 10 | |

## 【2】 漢字を書いてください。
かんじ　か

1. この店にはいろいろなしゅるいのパンがある。
   みせ

2. たいようが雲にかくれて見えなくなった。
   くも　　　　　み

3. けいしきだけの夫婦であることにつかれてきた。
   ふうふ

4. 春、夏、秋、冬をしきという。
   はる　なつ　あき　ふゆ

5. この数日、あたたかい日が続いている。
   すうじつ　　　　　　ひ　つづ

6. 旅館の前にはきれいな川がながれている。
   りょかん　まえ　　　　　　かわ

7. 弟は医者になったばかりで、経験があさい。
   おとうと　いしゃ　　　　　　　けいけん

8. イギリスや日本はしまぐにである。
   にほん

9. 急なさかみちを自転車で上った。
   きゅう　　　　　じてんしゃ　のぼ

10. かいがんで日光浴をする。
    にっこうよく

| | |
|---|---|
| 1 | |
| 2 | |
| 3 | |
| 4 | |
| 5 | |
| 6 | |
| 7 | |
| 8 | |
| 9 | |
| 10 | |

# 12章・13章　アチーブメントテスト

【1】次の文の下線をつけた言葉の読み方を①～④の中から選び、番号を書いてください。

1. 高橋選手は、代表戦の<u>連続</u>出場記録を伸ばしている。

   ① へんぞく　　　② れんぞく　　　③ えんしょく　　　④ れんしょく

2. 原文の意図をくんで、正確に<u>訳す</u>のはとても難しい。

   ① わくす　　　② わやく　　　③ やくす　　　④ わけす

3. 二人はおたがいのごかいを<u>解く</u>ために何度も話した。

   ① とく　　　② ごかい　　　③ かいく　　　④ ほどく

4. 日本語の勉強を始めたばかりなので、<u>易しい</u>日本語だったら分かります。

   ① たのしい　　　② やさしい　　　③ うくつしい　　　④ やすしい

5. 時間は<u>有効</u>に使いたい。

   ① ゆうきに　　　② ゆこうに　　　③ ゆうこうに　　　④ ゆきに

| 1 | | 2 | | 3 | | 4 | | 5 | |
|---|---|---|---|---|---|---|---|---|---|

【2】次の文の下線をつけた言葉の書き方を①～④の中から選び、番号を書いてください。

1. 来年大学を<u>そつぎょう</u>する予定だ。

   ① 終業　　　② 率業　　　③ 築業　　　④ 卒業

2. 日本には<u>しき</u>があり、秋には山の色が緑から赤へと変わる。

   ① 四季　　　②四期　　　③四記　　　④四委

3. わかりにくい問題は<u>れい</u>を示したほうがいい。

   ① 例　　　② 倒　　　③ 烈　　　④ 列

4. このごろ、<u>ざんぎょう</u>が多くてつかれがたまっている。

   ① 参業　　　② 産業　　　③ 残業　　　④ 算業

5. 海の中にはいろいろな生物が<u>そんざい</u>している。

   ① 在存　　　② 存在　　　③ 材財　　　④ 存材

| 1 | | 2 | | 3 | | 4 | | 5 | |
|---|---|---|---|---|---|---|---|---|---|

【3】①〜⑳の下線部の漢字または読み方を書いてください。

## 新入生オリエンテーション

下記の内容は留学生活を送る上で①<u>重要</u>なことです。②<u>在学中</u>はしっかり守ってください。

A. ③<u>授業</u>について

(1) 早く上手になるために、できるだけ日本語を使うようにしましょう。

(2) 授業が終わったら毎日必ず④<u>ふくしゅう</u>しましょう。文法⑤<u>解説書</u>があると自宅学習に便利です。

(3) 漢字は毎日八文字ずつ⑥<u>おぼえ</u>ましょう。

(4) 宿題やレポートは⑦<u>わすれ</u>ずに出してください。

(5) 中間テストや期末テストの成績で⑧<u>進級</u>を決定します。テストが60点以下の場合は、⑨<u>補習</u>を受けてください。

(6) 会話の授業は⑩<u>四種類</u>から選ぶことができます。

B. ⑪<u>しゅっせき</u>について

(1) 学習⑫<u>効果</u>をあげるためにも、出席率100％をめざして、毎日学校へ来る⑬<u>どりょく</u>を⑭<u>続け</u>てください。

(2) ⑮<u>けっせき</u>の場合は必ず学校に連絡してください。

(3) 病院へ行った時はしょうめいしょが⑯<u>ひつよう</u>です。

(4) ちこくした場合は⑰<u>りゆう</u>をきちんと⑱<u>せつめい</u>してください。

※ 日本人との⑲<u>交流会</u>にもさんかして日本についての知識を⑳<u>ふかめ</u>ましょう。

アークアカデミー

| ① | ② | ③ | ④ |
|---|---|---|---|
| ⑤ | ⑥ | ⑦ | ⑧ |
| ⑨ | ⑩ | ⑪ | ⑫ |
| ⑬ | ⑭ | ⑮ | ⑯ |
| ⑰ | ⑱ | ⑲ | ⑳ |

# 12章・13章　クイズ

【1】漢字パズルです。　☐　の中を足して、言葉を作ってください。

例　| 女 ＋ 又 ＋ カ | カ |　＝　| 努 | カ |

① | 言 ＋ 兑 | 日 ＋ 月 |　＝　☐ ☐

② | ネ ＋ 甫 | 羽 ＋ 白 |　＝　☐ ☐

③ | ナ ＋ 月 | 六 ＋ メ ＋ カ |　＝　☐ ☐

④ | 禾 ＋ 重 | 米 ＋ 大 ＋ 頁 |　＝　☐ ☐

⑤ | 王 ＋ 里 | 角 ＋ 刀 ＋ 牛 |　＝　☐ ☐

【2】言葉を探して、その部分を黒くぬりましょう。
　　黒くぬった部分をよく見ると、ひらがなが見えます。何というひらがなですか。

| 補 | 易 | 自 | 坂 | 説 | 席 | 卒 |
|---|---|---|---|---|---|---|
| 調 | 理 | 由 | 授 | 業 | 解 | 存 |
| 忘 | 覚 | 氷 | 要 | 補 | 訳 | 在 |
| 巨 | 例 | 河 | 由 | 通 | 例 | 島 |
| 訳 | 候 | 卒 | 授 | 訳 | 級 | 陸 |
| 深 | 形 | 例 | 年 | 上 | 気 | 候 |
| 岸 | 効 | 太 | 授 | 陸 | 季 | 底 |
| 解 | 河 | 陽 | 坂 | 道 | 由 | 続 |

（例）

☐

**【3】** 言葉を探して、その部分を黒くぬりましょう。

すると、最後に漢字が一字残ります。何という漢字でしょう。

(例)

| 深 | 夜 | 河 | 四 | 季 | 流 |
|---|---|---|---|---|---|
| 例 | 温 | 川 | 理 | 由 | 行 |
| 文 | 暖 | 海 | 候 | 補 | 者 |
| 島 | 化 | 底 | 存 | 在 | 同 |
| 民 | 陸 | 巨 | 人 | 効 | 級 |
| 種 | 類 | 岸 | 辺 | 果 | 生 |

**【4】** パンフレットを見て、漢字には読みを、ひらがなには漢字を書いてください。

---

## ARC 科学館

ARC 科学館では、館内を①じゆうに見学することができます。全てのものをじっさいにさわることができますので、②感覚を確かめてみてください。また、多くの③種類のアトラクションを体験することができます！ ARC 科学館で、科学に関する知識を④ふかめましょう！

### 3D ムービーシアター上映中

★ 11:00 ～ 11:30　海の中の生活って？？　～⑤海底への旅～

★ 12:00 ～ 12:30　⑥氷河があぶない！？　～アラスカへの旅～

★ 13:00 ～ 13:30　空から地球を見てみよう！　～地球・月・⑦太陽の関係～

★ 14:00 ～ 14:30　⑧しきの移り変わりの中で見る日本　～日本⑨列島の旅～

※ ただいま⑩きょだいプラネタリウムを建設中です！　お楽しみに！！

開館時間：10:00 ～ 17:00　　休館日：毎週水曜日
入場料：大人 800 円　学生・子ども 400 円

| ① | ② | ③ | ④ | ⑤ |
|---|---|---|---|---|
| ⑥ | ⑦ | ⑧ | ⑨ | ⑩ |

107

# 旅行 1
りょこう

準 ジュン
(13)

準

備 そな-える そな-わる
ビ
(12)

*to furnish; provide install*
*equip with*

備

迎 むか-える
ゲイ
(7)

*to meet; welcome*
*greet*

迎

変 か-わる か-える
ヘン
(9)

変

## 漢字を読みましょう
かんじ よ

① パーティーの準備を進める。
すす

② 下水の設備がととのった。
げすい

③ 新井選手は守備が上手だ。
あらい せんしゅ じょうず

④ 万一に備えて貯金する。
まんいち ちょきん

⑤ 家族そろって新年を迎える。
かぞく しんねん

⑥ 温かい出迎えを受ける。
あたた で う

⑦ 新入社員の歓迎会を開く。
しんにゅうしゃいん ひら

⑧ 葉の色が黄色から赤に変わる。
は いろ きいろ あか

⑨ この牛乳は変なにおいがする。
ぎゅうにゅう

⑩ 今年は変化の多い年だった。
ことし へんか おお とし

| ① | ② | ③ しゅ | ④ | ⑤ |
|---|---|---|---|---|
| ⑥ | ⑦ かん | ⑧ | ⑨ | ⑩ |

## 漢字を書きましょう
かんじ か

① じゅん優勝のチーム。
ゆうしょう

② 引っ越しのじゅんびでいそがしい。
ひ こ

③ あの女性は気品がそなわっている。
じょせい きひん

④ よびのタイヤを車に積む。
くるま つ

⑤ 父は来月、定年をむかえる。
ちち らいげつ ていねん

⑥ そうげいバスに乗る。
の

⑦ 顔色をかえて、部屋を出て行った。
かおいろ へや で い

⑧ 朝から山本さんの様子がへんだ。
あさ やまもと ようす

| ① | ② | ③ | ④ |
|---|---|---|---|
| ⑤ | ⑥ | ⑦ | ⑧ |

# 旅行2
りょこう

飛　と‐ぶ　と‐ばす
　　ヒ
(9)

移　うつ‐る　うつ‐す
　　イ
(11)

登　のぼ‐る
　　トウ　ト
(12)

泊　と‐まる　と‐める
　　ハク
(8)

## 漢字を読みましょう
かんじ　よ

① 鳥が大空を飛ぶ。
　とり　おおぞら

② 飛行機のチケットを買う。

③ 結婚して広めのアパートに移った。
　けっこん　ひろ

④ ベッドをとなりの部屋に移す。
　　　　　　　　　　へや

⑤ オーストラリアに移住する。

⑥ 夏休みに富士山に登る。
　なつやす　ふじさん

⑦ けわしい登山道を歩く。
　　　　　　　　あ

⑧ ホテルに泊まる。

⑨ 友人を部屋に泊める。
　ゆうじん　へや

⑩ 二泊三日の旅行をする。
　　　　　　りょこう

| ① | ② 　　　き | ③ | ④ | ⑤ |
|---|---|---|---|---|
| ⑥ | ⑦ | ⑧ | ⑨ | ⑩ |

## 漢字を書きましょう
かんじ　か

① 風船をとばす。
　ふうせん

② 子どもが車道へとびだした。
　こ　　　しゃどう

③ 車でいどうする。
　くるま

④ 季節のうつり変わり。
　きせつ　　　　か

⑤ 店の場所を駅前にいてんする。
　みせ　ばしょ　えきまえ

⑥ 冬山とざんは危険だ。
　ふゆやま　　　きけん

⑦ インターネットで会員とうろくする。
　　　　　　　　　かいいん

⑧ しゅくはく客へのサービス。
　　　　　　きゃく

| ① | ② | ③ | ④ |
|---|---|---|---|
| ⑤ | ⑥ | ⑦ | ⑧ |

とくべつな言葉……　登坂
　　　　　ことば　　とうはん（とはん）

109

# ツアー

団　ダン　トン
(6)

程　ほど　テイ
(12)

欧　オウ
(8)

州　す　シュウ
(6)

## 漢字を読みましょう

① あの宿は団体客の利用が多い。

② このチームは団結力が強い。

③ 小さな楽団に入る。

④ 布団をしいて寝る。

⑤ 旅行の日程を決める。

⑥ 先程、田中さんから電話があったそうだ。

⑦ あのクラスは欧米の学生が多い。

⑧ 格安の欧州ツアーを予約する。

⑨ 今度の連休に九州を旅行する。

⑩ 三角州は川の河口近くにできる。

| ① | ② | ③ | ④ ふ | ⑤ |
|---|---|---|---|---|
| ⑥ | ⑦ | ⑧ | ⑨ | ⑩ |

## 漢字を書きましょう

① だんたい料金のほうが安い。

② だんちに住む。

③ 会議のにっていを決める。

④ あと1時間ほどで目的地に着く。

⑤ 英語はあるていど理解できる。

⑥ 食のおうべいかが進む。

⑦ 青森県はほんしゅうの一番北にある。

⑧ きゅうしゅう出身の人。

| ① | ② | ③ | ④ |
|---|---|---|---|
| ⑤ | ⑥ | ⑦ | ⑧ |

# 観光 1
かんこう

観　カン
(18)

舟　ふね　ふな
　　シュウ
(6)

芸　ゲイ
(7)

演　エン
(14)

## 漢字を読みましょう
かんじ よ

① 京都は観光地として有名だ。
きょうと　　　　　　　　ゆうめい

② 主観的な意見を言う。
しゅかんてき　いけん　い

③ 観客の期待にこたえる。
　　　きたい

④ 舟で対岸にわたる。
ふね　たいがん

⑤ 小舟が岸にとまっている。
こぶね　きし

⑥ 園芸の技術を学び、家業をつぐ。
えんげい　ぎじゅつ　まな　かぎょう

⑦ パリは芸術の都とよく言われる。
げいじゅつ　みやこ　　　　い

⑧ 娘の学芸会を見に行く。
むすめ　がくげいかい　み　い

⑨ 知事の演説を聞く。
ちじ　えんぜつ　き

⑩ ドラマの主役を演じる。
しゅやく　えん

| ① | ② | ③ | ④ | ⑤ |
|---|---|---|---|---|
| ⑥ | ⑦　　　じゅつ | ⑧ | ⑨ | ⑩ |

## 漢字を書きましょう
かんじ か

① 人生かんがかわる。
じんせい

② 植物をかんさつする。
しょくぶつ

③ たくさんのかんこうきゃく。

④ 木のふねをこぐ。
き

⑤ ぶんげい作品を好んで読む。
さくひん　この　よ

⑥ でんとうげいのうを大切にする。
たいせつ

⑦ オペラのかいえん時間を待つ。
じかん　ま

⑧ 全選手がえんぎを終えた。
ぜんせんしゅ　お

| ① | ②　　　察 | ③ | ④ |
|---|---|---|---|
| ⑤ | ⑥　　　統 | ⑦ | ⑧　　　技 |
| | さつ | | ぎ |
| | とう | | |

とくべつな言葉……　漁舟、舟盛り
ことば　　　　ぎょしゅう　ふなも

# 観光2
かんこう

仏　ほとけ
　　ブツ
(4)

神　かみ　かん　こう
　　シン　ジン
(9)

祭　まつ－る　まつ－り
　　サイ
(11)

絵　カイ　エ
(12)

## 漢字を読みましょう
かんじ　よ

① 仏様にお供えをする。
　　　　　　そな

② 仏教は6世紀ごろに伝来した。
　　　　　せいき　　　　でんらい

③ 日本一大きい大仏を見に行く。
　にほんいちおお　　　だいぶつ　み　い

④ 神の存在を信じる。
　　　そんざい　しん

⑤ 神経質な性格を直したい。
　しんけいしつ　せいかく　なお

⑥ 亡くなった人を祭る。
　な　　　　ひと　まつ

⑦ 夏祭りでかき氷を買った。
　なつまつ　　　ごおり　か

⑧ あの店は祭日も営業している。
　　　みせ　さいじつ　えいぎょう

⑨ 来月ゴッホの絵画展が開かれる。
　らいげつ　　　　　かいが　　ひら

⑩ 駅前にある教室で油絵を習っている。
　えきまえ　　　きょうしつ　あぶらえ　なら

| ① | ② | ③ | ④ | ⑤ |
|---|---|---|---|---|
| ⑥ | ⑦ | ⑧ | ⑨　　　　てん | ⑩ |

## 漢字を書きましょう
かんじ　か

① ねんぶつをとなえる。

② ほとけごころを出す。
　　　　　　　　だ

③ じんじゃに初もうでに行く。
　　　　　はつ　　　　い

④ ショックでしっしんした。

⑤ 大学の文化さいに行った。
　だいがく　ぶんか　　　い

⑥ 北海道のゆきまつりはとても人気がある。
　ほっかいどう　　　　　　　　　にんき

⑦ 子どもにえほんを読み聞かせる。
　こ　　　　　　よ　き

⑧ 水性えのぐを使ってかく。
　すいせい　　　　つか

| ① | ② | ③ | ④ |
|---|---|---|---|
| ⑤ | ⑥ | ⑦ | ⑧ |

とくべつな言葉……　お神酒、神楽
　　　　ことば　　　　　みき　かぐら

# 旅行　復習
りょこう　ふくしゅう

## 【1】漢字の読み方を書いてください。
かんじ　よ　かた　か

1. 九州はきこうがおだやかで、外国人にも人気がある。
がいこくじん　にんき

2. 決勝戦で負けてしまい、準優勝に終わった。
けっしょうせん　ま　ゆうしょう　お

3. よく神経質だと言われるが、自分ではそう思わない。
い　じぶん　おも

4. 食の欧米化が進み、子どもが魚を食べなくなった。
しょく　すす　こ　さかな　た

5. 十名以上の場合、団体料金で入場できる。
じゅうめいいじょう　ばあい　りょうきん　にゅうじょう

6. ピカソの絵画を生で見られる機会は、ほとんどない。
なま　み　きかい

7. ドラマのヒロイン役を演じることになった。
やく

8. 毎年、家族と神社に初もうでに出かける。
まいとし　かぞく　はつ　で

9. 仏教の教えは6世紀ごろ日本に伝わった。
おし　せいき　にほん　つた

10. 小さい舟で川の向こう岸へわたる。
ちい　かわ　む　ぎし

| | |
|---|---|
| 1 | |
| 2 | |
| 3 | |
| 4 | |
| 5 | |
| 6 | |
| 7 | |
| 8 | |
| 9 | |
| 10 | |

## 【2】漢字を書いてください。
かんじ　か

1. 友達を駅までむかえに行った。
ともだち　えき　い

2. 浴衣を着て、地元のなつまつりに行く。
ゆかた　き　じもと　い

3. 旅行のにっていは、もう決まりましたか。
りょこう　き

4. 地しんにそなえて、ヘルメットを買っておく。
じ　か

5. テレビ局の前で有名なげいのうじんを見かけた。
きょく　まえ　ゆうめい　み

6. かんこうきゃくが年年少なくなっている。
ねんねんすく

7. わたり鳥のむれが南に向かってとんでいく。
どり　みなみ　む

8. 最近、彼女の様子がなんかへんだ。
さいきん　かのじょ　ようす

9. にはくみっかの予定で、四国を車で旅行する。
よてい　しこく　くるま　りょこう

10. バスよりもレンタカーでいどうしたほうが楽だ。
らく

| | |
|---|---|
| 1 | |
| 2 | |
| 3 | |
| 4 | |
| 5 | |
| 6 | |
| 7 | |
| 8 | |
| 9 | |
| 10 | |

113

# 交差点
こうさてん

| 角 | かど　つの<br>カク |
|---|---|

(7)

| 角 | | | |
|---|---|---|---|

| 曲 | ま‐がる　ま‐げる<br>キョク |
|---|---|

(6)

| 曲 | | | |
|---|---|---|---|

| 折 | お‐る　おり　お‐れる<br>セツ |
|---|---|

(7)

| 折 | | | |
|---|---|---|---|

| 路 | じ<br>ロ |
|---|---|

(13)

| 路 | | | |
|---|---|---|---|

## 漢字を読みましょう
かんじ　よ

① 次の角を曲がってください。
つぎ

② オスの牛はりっぱな角を持っている。
うし　　　　　　　　も

③ あらゆる角度から考える。
かんが

④ 名曲を集めたCDを買った。
あつ　　　　　　か

⑤ こしが痛くて曲がらない。
いた

⑥ そこの信号を右折する。
しんごう

⑦ 布団を三つ折にする。
ふとん　み

⑧ 転んで前歯を折った。
ころ　　まえば

⑨ 自分の進路を決める。
じぶん　　　　き

⑩ 仕事が終わって家路につく。
しごと　お

| ① | ② | ③ | ④ | ⑤ |
|---|---|---|---|---|
| ⑥ | ⑦ | ⑧ | ⑨ | ⑩ |

## 漢字を書きましょう
かんじ　か

① 机のかどに足をぶつけた。
つくえ　　　あし

② とうかくを現す。
あらわ

③ ピアノでバッハのきょくをひく。

④ 最後まで信念をまげない。
さいご　　しんねん

⑤ 台風で木のえだがおれた。
たいふう

⑥ あの交差点をさせつする。
こうさてん

⑦ せんろぞいに歩く。
ある

⑧ どうろがこんでいる。

| ① | ② | ③ | ④ |
|---|---|---|---|
| ⑤ | ⑥ | ⑦　　　線<br>せん | ⑧ |

# 事故
じ　こ

追
お‐う
ツイ
(9)

突
つ‐く
トツ
(8)

転
ころ‐がる　ころ‐げる
ころ‐がす　ころ‐ぶ
テン
(11)

倒
たお‐れる　たお‐す
トウ
(10)

## 漢字を読みましょう
かんじ　よ

① ねこがネズミを追う。
② 仕事に追われる毎日なんていやだ。
しごと　　　　　　　　　　　　まいにち
③ 前の車に追突した。
まえ　くるま
④ 大きなもりで魚を突く。
おお　　　　　さかな
⑤ 突然、子どもが飛び出してきた。
こ　　と　だ
⑥ ボールが坂道を転がる。
さかみち
⑦ だれかに押されて、階段から転げ落ちた。
お　　　かいだん　　　お
⑧ 石につまずいて転ぶ。
いし
⑨ 雪道で転倒してけがをした。
ゆきみち
⑩ あやまって、花びんを倒した。
か

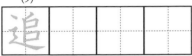

## 漢字を書きましょう
かんじ　か

① 順をおって話す。
じゅん　　　　はな
② 理想をついきゅうする。
りそう
③ ゴールめがけてとっしんする。
④ バイクが電柱にしょうとつする。
でんちゅう
⑤ サイコロをころがす。
⑥ じてんしゃで通学する。
つうがく
⑦ 貧血でたおれる。
ひんけつ
⑧ 会社がとうさんする。
かいしゃ

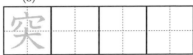

| ① | ② 求<br>きゅう | ③ | ④ 衝<br>しょう |
|---|---|---|---|
| ⑤ | ⑥ | ⑦ | ⑧ 産<br>さん |

# 位置
い　ち

位 くらい
イ
(7)

置 お-く
チ
(13)

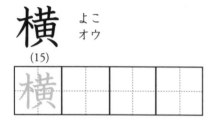

横 よこ
オウ
(15)

央 オウ
(5)

## 漢字を読みましょう
かんじ　よ

① 今、自分がいる位置を地図で確認する。
いま　じぶん　　　　　　ちず　かくにん

② マラソンで日本選手が上位をしめる。
にほんせんしゅ

③ 国王の位をゆずる。
こくおう

④ 名古屋に支社を置く。
なごや　ししゃ

⑤ 電車にカバンを置き忘れる。
でんしゃ

⑥ 駅の自転車置き場を利用する。
えき　じてんしゃ　　　り よう

⑦ 雪道で車が横転した。
ゆきみち　くるま

⑧ 彼女の横顔を見つめる。
かのじょ　　　み

⑨ 手紙を横書きで書いた。
てがみ　　　　　　か

⑩ 町の中央に大きな公園がある。
まち　ちゅうおう　おお　こうえん

| ① | ② | ③ | ④ | ⑤ |
|---|---|---|---|---|
| ⑥ | ⑦ | ⑧ | ⑨ | ⑩ |

## 漢字を書きましょう
かんじ　か

① 運動会のリレーでいちいになった。
うんどうかい

② 会社で重要なちいにつく。
かいしゃ　じゅうよう

③ 一のくらいを四捨五入する。
いち　　　　　　ししゃごにゅう

④ 公園にゴミ箱をせっちする。
こうえん　　ばこ

⑤ 部屋のまんなかにテーブルをおく。
へや

⑥ おうだん歩道をわたりましょう。
ほどう

⑦ 話がよこみちにそれる。
はなし

⑧ ちゅうおうアジア。

| ① | ② | ③ | ④ |
|---|---|---|---|
| ⑤ | ⑥ 断<br>だん | ⑦ | ⑧ |

# 道路 1
どうろ

**直** ただ-ちに　なお-す　なお-る
チョク　ジキ
(8)

| 直 |  |  |  |  |

**線** セン
(15)

| 線 |  |  |  |  |

**逆** ギャク
さか　さか-らう
(9)

| 逆 |  |  |  |  |

**側** がわ
ソク
(11)

| 側 |  |  |  |  |

## 漢字を読みましょう
かんじ　よ

① 自転車のパンクを直す。
じてんしゃ

② 交差点を直進する。
こうさてん

③ 彼は正直な人だ。
かれ　　　　ひと

④ 通報を受け、直ちに現場に向かう。
つうほう　う　　　　　　げんば　む

⑤ これは彼から直接聞いた話だ。
かれ　　　　き　　はなし

⑥ 地面に線を引く。
じめん　　　ひ

⑦ 先生の言うことに逆らう。
せんせい　い

⑧ 逆立ちして歩く。
　　　　　　　ある

⑨ 立場が逆になる。
たちば

⑩ 川の向こう側にわたる。
かわ　む

| ① | ② | ③ | ④ | ⑤ |
|---|---|---|---|---|
| ⑥ | ⑦ | ⑧ | ⑨ | ⑩ |

## 漢字を書きましょう
かんじ　か

① 日本一長いちょくせん道路。
にほんいちなが　　　　　　どうろ

② こわれたコピー機がなおった。
き

③ そっちょくな意見を言う。
いけん　い

④ ローカルせんに乗る。
の

⑤ 親にさからって一人ぐらしをする。
おや　　　　　　ひとり

⑥ ぎゃくてんホームランを打つ。
う

⑦ 酔った男がぎゃくじょうした。
よ　　おとこ

⑧ 友人の意外なそくめんを知る。
ゆうじん　いがい　　　　　　し

| ① | ② | ③ | ④ |
|---|---|---|---|
| ⑤ | ⑥ | ⑦ | ⑧ |

とくべつな言葉…… 素直
　　　　　ことば　　　　すなお

# 道路2
どうろ

注 そそ-ぐ
チュウ
(8)

意 イ
(13)

橋 はし
キョウ
(16)

進 すす-む　すす-める
シン
(11)

## 漢字を読みましょう
かんじ　よ

① コップに水を注いで飲む。
みず　の

② 子どもの飛び出しに注意する。
こ　と　だ

③ デビュー間もない新人作家に注目する。
ま　しんじんさっか

④ 漢字の意味を辞書で調べる。
かんじ　じしょ　しら

⑤ 出馬の決意を固める。
しゅつば　かた

⑥ 昨日の台風で橋が流された。
きのう　たいふう　なが

⑦ 石橋をたたいてわたる。
いしばし

⑧ 予定どおり工事を進めてください。
よてい　こうじ

⑨ 来年大学院に進学するつもりだ。
らいねんだいがくいん

⑩ 科学技術は進歩している。
かがくぎじゅつ

| ① | ② | ③ | ④ | ⑤ |
|---|---|---|---|---|
| ⑥ | ⑦ | ⑧ | ⑨ | ⑩ |

## 漢字を書きましょう
かんじ　か

① 先生からちゅういされた。
せんせい

② 子どもに愛情をそそぐ。
こ　あいじょう

③ 料理をちゅうもんする。
りょうり

④ 反対いけんを言う。
はんたい　い

⑤ 病院でいしきを取りもどす。
びょういん　と

⑥ 列車がてっきょうを渡る。
れっしゃ　わた

⑦ 新しくほどうきょうが設置された。
あたら　せっち

⑧ きぎょうの海外しんしゅつ。
かいがい

| ① | ② | ③ | ④ |
|---|---|---|---|
| ⑤ 識 しき | ⑥ | ⑦ | ⑧ |

118

# 交通　復習
こうつう　ふくしゅう

## 【1】漢字の読み方を書いてください。
かんじ　よ　かた　か

1. 横になってテレビを見ていたら、ねむくなった。
み

2. 新しい商品の開発に全力を注いだ。
あたら　しょうひん　かいはつ　ぜんりょく

3. 駅の向こう側に、たくさんのマンションがある。
えき　む

4. あの鉄橋は約30年前に造られたものだ。
やく　ねんまえ　つく

5. バイクとぶつかって、右足を折ってしまった。
みぎあし

6. 50年前とくらべると、女性の地位は向上した。
ねんまえ　じょせい　こうじょう

7. カギはテーブルの上に置いておいたよ。
うえ

8. その村の中央には大きな教会があった。
むら　おお　きょうかい

9. 役員は直ちに社長室に集まってください。
やくいん　しゃちょうしつ　あつ

10. 試合が終わる3分前に、味方チームが逆転した。
しあい　お　ぶんまえ　みかた

| 1 | |
|---|---|
| 2 | |
| 3 | |
| 4 | |
| 5 | |
| 6 | |
| 7 | |
| 8 | |
| 9 | |
| 10 | |

## 【2】漢字を書いてください。
かんじ　か

1. 次の信号を右にまがってください。
つぎ　しんごう　みぎ

2. 彼が結婚するとは、しょうじきおどろいた。
かれ　けっこん

3. にげる犯人をけいさつかんが必死におった。
はんにん　ひっし

4. 知らない人からとつぜん電話がかかってきた。
し　ひと　でんわ

5. べつのかくどから考えてみよう。
かんが

6. 来春、大学院にしんがくするつもりだ。
らいしゅん　だいがくいん

7. 電車の中でさわぐ子どもをちゅういした。
でんしゃ　なか　こ

8. 昨日の台風で、にわのさくらの木がたおれてしまった。
きのう　たいふう　き

9. 公園に新しいベンチをせっちする。
こうえん　あたら

10. テキストの重要な部分にせんを引いた。
じゅうよう　ぶぶん　ひ

| 1 | |
|---|---|
| 2 | |
| 3 | |
| 4 | |
| 5 | |
| 6 | |
| 7 | |
| 8 | |
| 9 | |
| 10 | |

119

# 14章・15章　アチーブメントテスト

【1】次の文の下線をつけた言葉の読み方を①〜④の中から選び、番号を書いてください。

1. そうしきで、おぼうさんが念仏をとなえる。

    ① ねんぶつ　　　② しんぶつ　　　③ ねんふつ　　　④ しんふつ

2. 今度の祭日にドライブに行く予定だ。

    ① ざいじつ　　　② さいじつ　　　③ さいにち　　　④ ざいにち

3. この50年で科学技術はめざましく進歩した。

    ① じんほ　　　② しんほ　　　③ じんぽ　　　④ しんぽ

4. 私が父から直接聞いたのだから、うそのはずがない。

    ① ちょくせつ　　　② じきしつ　　　③ ちょくじ　　　④ じきせつ

5. どんなにいそがしくても、朝食は家族全員で食べるのが、わが家のルールだ。

    ① ぜにん　　　② ぜんりん　　　③ ぜんいん　　　④ ぜいいん

| 1 | | 2 | | 3 | | 4 | | 5 | |
|---|---|---|---|---|---|---|---|---|---|

【2】次の文の下線をつけた言葉の書き方を①〜④の中から選び、番号を書いてください。

1. 雪道はてんとうしやすいので、気をつけてください。

    ① 転至　　　② 転倒　　　③ 転向　　　④ 転到

2. 姉の大学で来週ぶんかさいが行われる。

    ① 文科際　　　② 文化際　　　③ 文化祭　　　④ 文科祭

3. インターネットで会員とうろくすることができる。

    ① 登録　　　② 戸録　　　③ 登緑　　　④ 戸緑

4. さんぱく四日で北海道を旅行した。

    ① 三拍　　　② 三伯　　　③ 三泊　　　④ 三舶

5. 最近、あの作家の作品はちゅうもくを集めている。

    ① 柱目　　　② 注目　　　③ 注木　　　④ 柱木

| 1 | | 2 | | 3 | | 4 | | 5 | |
|---|---|---|---|---|---|---|---|---|---|

【3】①〜⑳の下線部の漢字または読み方を書いてください。

## 朝のニュース

おはようございます。朝7時のニュースをお伝えします。

①先程、国道一号線で 乗用車にトラックが②ついとつしました。現場は見通しの良い

③直線で、トラックのスピードの出しすぎが原因と見られています。このじこで 乗用車が

④横転し、ドライバーは足のほねを⑤おり、病院に運ばれました。現在、現場付近の

⑥どうろは全面的に通行止めとなっていますので、⑦ちゅういしてください。


次のニュースです。

多くの⑧観光客がおとずれる青森の○○村で、年に一度の⑨雪祭りが開かれました。村

の⑩青年団の若者たちは2カ月も前から祭りの⑪じゅんびをしてきたそうです。また、村

の⑫中央にある⑬じんじゃでは、でんとう⑭げいのうのかぶきが⑮上演され、観光客を楽

しませていました。


最後のニュースです。

海外で元日を⑯むかえる人は年年ふえていますが、今年は⑰欧米よりも中国や韓国への

⑱団体旅行が人気を集めています。⑲ひこうきで 長い時間⑳いどうするよりも、近場でゆっ

くり楽しむ人がふえているのだろうとみられています。

では、朝のニュースを終わります。行っていらっしゃい。

| ① | ② | ③ | ④ |
|---|---|---|---|
| ⑤ | ⑥ | ⑦ | ⑧ |
| ⑨ | ⑩ | ⑪ | ⑫ |
| ⑬ | ⑭ | ⑮ | ⑯ |
| ⑰ | ⑱ | ⑲ | ⑳ |

# 14章・15章　クイズ

【1】金さんと田中さんが話しています。会話の中の①〜⑥のことばを漢字で書いてください。

田中：ねえ、今度の日曜日、うちに①とまりに来る約束だったでしょう。地図を書いてきたから、
　　　ちょっと見てみて。

　金：うん。ありがとう。

　　　えーっと、ここが駅だよね。まずは北口を出て、まっすぐ②すすめばいいんだね。

　　　それから・・二つ目の③かど
　　　を右に④まがるのかな。

田中：そうそう。そこを⑤うせつして、
　　　50メートルぐらい行くと大きい
　　　スーパーが⑥ひだりがわにある
　　　から、その先の交差点を左ね。

　金：うん。だいたい分かった。

田中：もし分からなかったら電話して
　　　ね。迎えに行くから。

　金：オッケー。

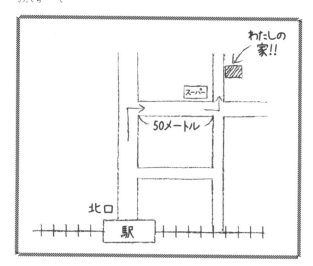

| ① | ② | ③ | ④ | ⑤ | ⑥ |
|---|---|---|---|---|---|
|   |   |   |   |   |   |

【2】（　　　　）の中にカタカナの読み方をする漢字を書いてください。

1. ゲイ
   - ① 最近、園（　　　　　　）をしゅみにする若い人がふえてきた。
   - ② 会社の人が歓（　　　　　　）会を開いてくれた。

2. オウ
   - ① 1900 年代の（　　　　　　）米の歴史について調べている。
   - ② 公園の中（　　　　　　）には大きな池がある。
   - ③ 道をわたるときは、必ず（　　　　　　）断歩道を使いましょう。

3. イ
   - ① あのレストランなら、駅の反対側に（　　　　　）転したよ。
   - ② いろいろな（　　　　）見が聞けて、勉強になった。
   - ③ 机の（　　　　）置をもう少し右にずらしてください。

【3】下の旅行パンフレットを見て、漢字の読み方を書いてください。
した りょこう み かんじ よ かた か

今だけ!!
① 欧州 6日間
いま むいかかん
198,000 円
えん

2／1（月）～2／28（日）
げつ にち

~卒業旅行や社員旅行としても人気~
そつぎょうりょこう しゃいんりょこう にんき

■ 十名以上の場合、②団体料金でさらに安くなります!
じゅうめいいじょう ばあい りょうきん やす

■ ③観光客が少ないオフシーズンだからこそチャンス!
すく

■ 人気のパリ・ローマ・ロンドンをめぐります!
にんき

**今だけのスペシャルサービス**
いま

1) くうこう－ホテル間はバスの④送迎あり
かん

2) ⑤移動はごうかなリムジンバス

3) ⑥絵画展のペアチケットをプレゼント
てん

4) 2月10日からは地元の⑦祭りもかいさい予定
がつとおか じもと よてい

5) ウェルカムドリンクをサービス

<⑧注意>

・このツアーは⑨日程や時間のへんこうはできません。
じかん

・⑩飛行機の便や⑪宿泊するホテルのランクによって、料金が⑫変わる場合があります。
びん りょうきん ばあい

くわしくはツアーデスクまでお問い合わせください。
とあ

| ① | ② | ③ | ④ |
|---|---|---|---|
| ⑤ | ⑥ | ⑦ | ⑧ |
| ⑨ | ⑩ | ⑪ | ⑫ |

# 求職
きゅうしょく

仕 つか-える
  シ ジ
(5)

職 ショク
(18)

求 もと-める
  キュウ
(7)

探 さぐ-る さが-す
  タン
(11)

## 漢字を読みましょう
かんじ よ

① 王様に仕える。
   おうさま

② 今さらあわてても仕方がない。
   いま

③ 残業してたまった仕事をかたづける。
   ざんぎょう

④ 給仕に食事の準備をたのむ。
   しょくじ じゅんび

⑤ 会長の職につく。
   かいちょう

⑥ 今年大学を卒業して、就職した。
   ことしだいがく そつぎょう

⑦ 失業して、あらたに職を求める。
   しつぎょう しょく

⑧ 無理な要求を受け入れる。
   むり う い

⑨ 前の仕事を辞めて、今は求職中だ。
   まえ しごと や いま

⑩ ゆびわをなくして部屋中探した。
   へやじゅう

| ① | ② | ③ | ④ | ⑤ |
|---|---|---|---|---|
| ⑥ しゅう | ⑦ | ⑧ | ⑨ | ⑩ |

## 漢字を書きましょう
かんじ か

① 親からしおくりをもらう。
   おや

② あこがれのしょくぎょうにつく。

③ てんしょくする。

④ いい人材をもとめる。
   じんざい

⑤ きゅうじんこうこくを見て、電話する。
   み でんわ

⑥ おたがいの気持ちをさぐり合う。
   きも あ

⑦ さがしものが見つかる。
   み

⑧ ジャングルをたんけんする。

| ① | ② | ③ | ④ |
|---|---|---|---|
| ⑤ | ⑥ | ⑦ | ⑧ |

# マナー

常 つね　とこ
ジョウ
(11)

| 常 | | | |
|---|---|---|---|

識 シキ
(19)

| 識 | | | |
|---|---|---|---|

失 うしな‐う
シツ
(5)

| 失 | | | |
|---|---|---|---|

礼 レイ　ライ
(5)

| 礼 | | | |
|---|---|---|---|

## 漢字を読みましょう

① 常に笑顔をたやさない。

② ハワイは常夏の島だ。

③ 年末年始も通常通りえいぎょうする。

④ 彼は世間知らずで、常識がない。

⑤ 無意識に手を動かす。

⑥ 火事で家を失ってしまった。

⑦ 会社が倒産し、失業した。

⑧ 手伝ってもらったお礼をする。

⑨ 彼は礼儀正しく、まじめな学生だ。

⑩ お先に失礼します。

| ① | ② | ③ | ④ | ⑤ |
|---|---|---|---|---|
| ⑥ | ⑦ | ⑧ | ⑨　　　　ぎ | ⑩ |

## 漢字を書きましょう

① 彼女はつねにいそがしそうだ。

② にちじょう生活を忘れて、ゆっくりする。

③ ビジネス書でちしきを深める。

④ 1時間後にいしきを取りもどした。

⑤ 信用をうしなう。

⑥ ふんしつとどけを出す。

⑦ しき金・れいきんをはらう。

⑧ おれいじょうを書く。

| ① | ② | ③ | ④ |
|---|---|---|---|
| ⑤ | ⑥　　紛 | ⑦ | ⑧　　　　状 |

とくべつな言葉……礼賛
　　　　　　　　らいさん

125

# 仕事 1
しごと

労 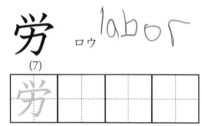 ロウ
(7)

| 労 |  |  |  |

員  イン
(10)

| 員 |  |  |  |

官  カン
(8)

| 官 |  |  |  |

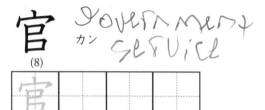

局 キョク
(7)

| 局 |  |  |  |

## 漢字を読みましょう
かんじ　よ

① 彼女は若いころから苦労している。
かのじょ　わか

② 疲労がたまって体調をくずす。
たいちょう

③ 社員食堂で昼食をとる。
しゃいん しょくどう ちゅうしょく

④ 店員に声をかける。
こえ

⑤ 検査で消化器官に異常が見つかった。
けんさ　しょうか　　いじょう　み

⑥ 将来の目標は外交官になることだ。
しょうらい　もくひょう　こう

⑦ 官民一体となって環境問題に取り組む。
いったい　　かんきょうもんだい　と　く

⑧ 郵便局へ手紙を出しにいく。
てがみ　だ

⑨ 薬局でかぜ薬を買う。
ぐすり　か

⑩ 倒産の危機という難局を切りぬける。
とうさん　きき　　　　き

| ① | ② ひ | ③ | ④ | ⑤ |
|---|---|---|---|---|
| ⑥ | ⑦　　　みん | ⑧ ゆう | ⑨ | ⑩ |

## 漢字を書きましょう
かんじ　か

① 時間外ろうどう。
じかんがい

② 家族ぜんいんで出かける。
かぞく　　　で

③ まんいんのコンサート会場。
かいじょう

④ 首相がかんていで会見を行う。
しゅしょう　　　　かいけん　おこな

⑤ 彼は財務省のかんりょうだ。
かれ　ざいむしょう

⑥ 目、耳や鼻などの感覚きかん。
め　みみ　はな　　かんかく

⑦ いろいろ努力したがけっきょくだめだった。
どりょく

⑧ きょくち的に降るはげしい雨。
てき　ふ　　　　あめ

| ① | ② | ③ | ④ 邸 てい |
|---|---|---|---|
| ⑤ 僚 りょう | ⑥ | ⑦ | ⑧ |

# 仕事２
## しごと

辞　や-める
　　ジ
(13)

退　しりぞ-く　しりぞ-ける
　　タイ
(9)

積　つ-もる　つ-む
　　セキ
(16)

## 漢字を読みましょう
### かんじ　よ

① 来月会社を辞めることになった。
　らいげつかいしゃ　　や
② 辞書を使って意味を調べる。
　じしょ　つか　いみ　しら
③ 内定を辞退する。
　ないてい
④ 社長職を退いた。
　しゃちょうしょく
⑤ することがなくて退屈する。
⑥ 高校を退学した。
　こうこう
⑦ 雪が積もって、真っ白になる。
　ゆき　つ　ま　しろ
⑧ 経験を積んで、一人前になる。
　けいけん　つ　いちにんまえ
⑨ イベントの見積もりを立てる。
　　　　　　　　た
⑩ 土地の面積を計算する。
　とち　めんせき　けいさん

| ① | ② | ③ | ④ | ⑤ 　　　　くつ |
|---|---|---|---|---|
| ⑥ | ⑦ | ⑧ | ⑨ | ⑩ |

## 漢字を書きましょう
### かんじ　か

① 漢和じてんで漢字を調べる。
　かんわ　　　　かんじ　しら
② 大臣がそうじしょくする。
　だいじん
③ 無理な要求をしりぞける。
　むり　ようきゅう
④ 一位から三位にこうたいする。
　いちい　さんい
⑤ 今月いっぱいでたいしょくする。
　こんげつ
⑥ たなに高くつまれた商品。
　　　　たか　　　　　しょうひん
⑦ トラックに荷物をつむ。
　　　　　にもつ
⑧ 今年は例年よりせきせつりょうが多い。
　ことし　れいねん　　　　　　　　　おお

| ① 　　　　典 てん | ② 　総 そう | ③ | ④ |
|---|---|---|---|
| ⑤ | ⑥ | ⑦ | ⑧ |

# 給料
きゅうりょう

給 キュウ
(12)

収 おさ-まる　おさ-める
シュウ
(4)

支 ささ-える
シ
(4)

厚 あつ-い
コウ
(9)

## 漢字を読みましょう
かんじ　よ

① 給料日に欲しかった服を買った。

② 時給1000円のアルバイトを見つけた。

③ うつくしいけしきを写真に収める。
しゃしん

④ 決勝戦に勝ち、勝利を収めた。
けっしょうせん　か　しょうり

⑤ 父が病気なので私が家族を支えている。
ちち　びょうき　わたし　かぞく

⑥ 1年の収支を計算する。
ねん　けいさん

⑦ 私の兄はホテルの支配人をしている。
わたし　あに

⑧ 子どもが生まれて、支出がふえた。
こ　う

⑨ お店で一番厚いステーキを注文した。
みせ　いちばん　ちゅうもん

⑩ 彼は温厚な性格でみなに好かれている。
かれ　おんこう　せいかく　す

| ① | ② | ③ | ④ | ⑤ |
|---|---|---|---|---|
| ⑥ | ⑦　　はい | ⑧ | ⑨ | ⑩ |

## 漢字を書きましょう
かんじ　か

① しょにんきゅうで母にプレゼントをする。
はは

② じきゅうじそくの生活をする。
せいかつ

③ ポケットにおさまるサイズのカメラ。

④ このシャツは汗をよくきゅうしゅうする。
あせ

⑤ 去年よりしゅうにゅうがふえる。
きょねん

⑥ 彼の意見をしじする。
かれ　いけん

⑦ けしょうがあつい人。
ひと

⑧ のうこうなスープ。

| ① | ② | ③ | ④ |
|---|---|---|---|
| ⑤ | ⑥ | ⑦ | ⑧　濃
のう |

# 仕事　復習
しごと　ふくしゅう

## 【1】漢字の読み方を書いてください。
かんじ　よ　かた　か

1. 今さらあわてても仕方がないから、ゆっくりやろう。
   いま

2. 彼女は外交官になり、世界各国を飛び回っている。
   かのじょ　　　　　　　　　　せかいかっこく　と　まわ

3. 半年勉強して、日常会話なら話せるようになった。
   はんとしべんきょう　　　にちじょうかいわ　はな

4. 大学で経済のせんもんてきな知識を学ぶ。
   だいがく　けいざい　　　　　　　　ちしき　まな

5. がんばって働いたので、時給が少し上がった。
   はたら　　　　　　じきゅう　すこ　あ

6. 父は一家を支えるために働いている。
   ちち　いっか　ささ　　　　　　はたら

7. 来月、小川社長が社長職を退くそうだ。
   らいげつ　おがわしゃちょう　しゃちょうしょく　しりぞ

8. 求人広告を見て、アルバイトのおうぼをする。
   きゅうじんこうこく　み

9. 山の上に雪が積もって白くなっている。
   やま　うえ　ゆき　つ　　　　しろ

10. 彼はときどき相手に失礼なことを言うことがある。
    かれ　　　　　　あいて　しつれい　　　　　い

|    |    |
|----|----|
| 1  |    |
| 2  |    |
| 3  |    |
| 4  |    |
| 5  |    |
| 6  |    |
| 7  |    |
| 8  |    |
| 9  |    |
| 10 |    |

## 【2】漢字を書いてください。
かんじ　か

1. 男の子がなりたいしょくぎょうの一位はスポーツ選手だ。
   おとこ　こ　　　　　　　　　　　　いちい　　　せんしゅ

2. デパートのてんいんに白いコートをすすめられた。
   しろ

3. いくらさがしても、かぎが見つからなかった。
   み

4. 新しい電子じしょを買うことにした。
   あたら　でんし　　　　か

5. 正社員になって安定したしゅうにゅうをえたい。
   せいしゃいん　　　　あんてい

6. この作品を作るのにとてもくろうした。
   さくひん　つく

7. 突然、女の人が気をうしなって倒れた。
   とつぜん　おんな　ひと　き　　　　　　たお

8. いつもはおんこうな彼が怒り出して、びっくりした。
   かれ　おこ　だ

9. 私の姉はテレビきょくのアナウンサーとして働いている。
   わたし　あね　　　　　　　　　　　　　　　　　　はたら

10. 卒業式で先生におれいを言った。
    そつぎょうしき　せんせい　　　　　い

|    |    |
|----|----|
| 1  |    |
| 2  |    |
| 3  |    |
| 4  |    |
| 5  |    |
| 6  |    |
| 7  |    |
| 8  |    |
| 9  |    |
| 10 |    |

# 会議 1
かいぎ

議 ギ
*righteousness*
(20)

賛 サン
*praise*
(15)

反
*to warp:*
そーる　そーらす
ハン　ホン　タン
*curve; bend*
(4)

対 タイ　ツイ
(7)

## 漢字を読みましょう
かんじ　よ

① 会議に出席する。
しゅっせき

② 議事録を作成する。
さくせい

③ 係長の意見に賛成する。
かかりちょう　いけん

④ まわりの賛同をえる。

⑤ いすに反り返って座る。
すわ

⑥ 自分の行いを反省する。
じぶん　おこな

⑦ 交通違反をして、お金をはらう。
こうつう　　　　　かね

⑧ 日本対ブラジル戦を見る。
にほん　　　　　せん　み

⑨ 絶対に今年は合格したい。
ことし　ごうかく

⑩ 親が子供の留学に反対する。
おや　こども　りゅうがく

| ① | ② | ③ | ④ | ⑤ |
|---|---|---|---|---|
| ⑥　　せい | ⑦　い | ⑧ | ⑨　ぜっ | ⑩ |

## 漢字を書きましょう
かんじ　か

① 月に一度のかいぎを行う。
つき　いちど　　　　　おこな

② ぎだいをあげる。

③ 出来ばえにじがじさんする。
でき

④ さんせい意見が多数をしめる。
いけん　たすう

⑤ 雨にぬれて本の表紙がそってしまった。
あめ　　　　　ほん　ひょうし

⑥ むねを後ろにそらす。
うし

⑦ 彼と意見がたいりつする。
かれ　いけん

⑧ ついになっている置物。
おきもの

| ① | ② | ③ | ④ |
|---|---|---|---|
| ⑤ | ⑥ | ⑦ | ⑧ |

とくべつな言葉……　謀反、反物
ことば　　　　むほん　たんもの

# 会議2
かいぎ

肯 コウ
(8)

| 肯 | | | |
|---|---|---|---|

否  いな ヒ
(7)

| 否 | | | |
|---|---|---|---|

保 たも-つ ホ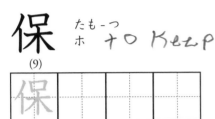
(9)

| 保 | | | |
|---|---|---|---|

留 と-まる と-める リュウ ル
(10)

| 留 | | | |
|---|---|---|---|

## 漢字を読みましょう
かんじ よ

① 肯定的な考え方をする。
　かんが かた

③ 広まっているうわさを否定する。
　ひろ

⑤ 室温を同じ温度に保つ。
　しつおん おな おんど

⑦ 板がくぎで留まっている。
　いた

⑨ 問題を保留にする。
　もんだい

② 話を聞くや否や、家を飛び出した。
　はなし き いえ と だ

④ 出席者に賛否を問う。
　しゅっせきしゃ と

⑥ デパートでまいごを保護する。

⑧ 小さな記事に、ふと目を留める。
　ちい きじ め

⑩ 留守番電話にメッセージを入れる。
　でんわ い

| ① | ② | ③ | ④ | ⑤ |
|---|---|---|---|---|
| ⑥　　　　ご | ⑦ | ⑧ | ⑨ | ⑩ |

## 漢字を書きましょう
かんじ か

① こうていてきな意見。
　　　　　　　　いけん

③ 若さをたもつ。
　わか

⑤ チームにざんりゅうする。

⑦ 単位を落として、りゅうねんする。
　たんい お

② 登校きょひの子ども。
　とうこう

④ ほいくえんに子どもをあずける。

⑥ けんこうにりゅういする。

⑧ 新聞のかんゆうにいるすを使う。
　しんぶん つか

| ① | ② 拒<br>きょ | ③ | ④ |
|---|---|---|---|
| ⑤ | ⑥ | ⑦ | ⑧ 居<br>い |

131

# 会議3
かいぎ

判　ハン　バン
(7)

| 判 | | | |
|---|---|---|---|

断　た-つ　ことわ-る
　　ダン
(11)

| 断 | | | |
|---|---|---|---|

確　たし-かめる　たし-か
　　カク
(15)

| 確 | | | |
|---|---|---|---|

認　みと-める
　　ニン
(14)

| 認 | | | |
|---|---|---|---|

## 漢字を読みましょう
かんじ　よ

① 有罪の判決を受けた。
　ゆうざい

② 合否を判定する。
　ごうひ

③ ここは味がいいと評判の店だ。
　　　　あじ　　　　　　　　　みせ

④ けんこうのため、お酒を断った。
　　　　　　　　　　　さけ

⑤ 彼が犯人だと断定された。
　かれ　はんにん

⑥ 書類に不備がないかどうかを確かめる。
　しょるい　ふび

⑦ 彼の料理のうでは確かだ。
　かれ　りょうり

⑧ 彼は無実だという確信がある。
　かれ　むじつ

⑨ 犯人が罪を認める。
　はんにん　つみ

⑩ 社会人としての認識が不足している。
　しゃかいじん　　　　　　ふそく

| ① | ② | ③ ひょう | ④ | ⑤ |
|---|---|---|---|---|
| ⑥ | ⑦ | ⑧ | ⑨ | ⑩ |

## 漢字を書きましょう
かんじ　か

① 人を外見ではんだんしてはいけない。
　ひと　がいけん

② 友達のさそいをことわった。
　ともだち

③ 強風で電線がせつだんされた。
　きょうふう　でんせん

④ 出かける前に火の元をたしかめる。
　で　　　　まえ　ひ　もと

⑤ たしか、この中にしまったはずだ。
　　　　　　なか

⑥ せいかくに時間をはかる。
　　　　　　じかん

⑦ 彼はだれもがみとめる天才だ。
　かれ　　　　　　　　　てんさい

⑧ 在庫をかくにんする。
　ざいこ

| ① | ② | ③ | ④ |
|---|---|---|---|
| ⑤ | ⑥ | ⑦ | ⑧ |

# 会議4
かいぎ

報 むく‐いる
ホウ
(12)

告 つ‐げる
コク
(7)

連 つら‐なる　つら‐ねる　つ‐れる
レン
(10)

絡 から‐まる　から‐める　から‐む
ラク
(12)

## 漢字を読みましょう
かんじ　よ

① おんに報いる。

② 情報を集める。
じょうほう　あつ

③ 医者がかんじゃに 病名を告げる。
いしゃ　　　　　　びょうめい　つ

④ 友人にメールで結婚を報告する。
ゆうじん　　　　　けっこん　ほうこく

⑤ 車が何台も連なっている。
くるま　なんだい　つら

⑥ 部長が部下を連れて飲みに行く。
ぶちょう　ぶか　つ　　の　い

⑦ かぜで三日間連続して休んでしまった。
みっかかんれんぞく　やす

⑧ 糸がぐちゃぐちゃに絡まっている。
いと　　　　　　　　から

⑨ 駅員が酔った客に絡まれる。
えきいん　よ　きゃく　から

⑩ 会議の時間をメールで連絡する
かいぎ　じかん　　　　　れんらく

| ① | ② | ③ | ④ | ⑤ |
|---|---|---|---|---|
| ⑥ | ⑦ | ⑧ | ⑨ | ⑩ |

## 漢字を書きましょう
かんじ　か

① 試合終了 直前に一矢をむくいた。
しあいしゅうりょうちょくぜん　いっし

② 現場からいっぽうがとどく。
げんば

③ 始業をつげるチャイム。
しぎょう

④ 愛をこくはくする。
あい

⑤ リストに名をつらねる。
な

⑥ 二つの事件はかんれんがある。
ふた　じけん

⑦ 恋人とうでをからめて歩く。
こいびと　　　　　　　　ある

⑧ れんらくもうを作る。
つく

| ① | ② | ③ | ④ |
|---|---|---|---|
| ⑤ | ⑥ | ⑦ | ⑧　　　　網 もう |

# 会議 5
かいぎ

相 あい　ソウ　ショウ
(9)
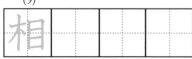

談 ダン
(15)

指 さ-す　ゆび　シ
(9)

示 しめ-す　ジ　シ
(5)

## 漢字を読みましょう
かんじ　よ

① 結婚相手を探す。
けっこん　　　さが

② 事件の真相はまだわからない。
じけん

③ 首相が記者会見を行う。
しゅしょう　きしゃかいけん　おこな

④ 部下の相談に乗る。
ぶか　　そうだん　の

⑤ 冗談を言って人を笑わせる。
じょう　い　　ひと　わら

⑥ 薬指のダイヤモンドがかがやいている。
くすりゆび

⑦ 先生が学生を指して答えを求める。
せんせい　がくせい　さ　　こた　　もと

⑧ 作文の書き方を指導する。
さくぶん　か　かた　しどう

⑨ 数字を示して説明する。
すうじ　しめ　　せつめい

⑩ きっと合格するという暗示をかける。
ごうかく

| ① | ② | ③ | ④ | ⑤ じょう |
|---|---|---|---|---|
| ⑥ | ⑦ | ⑧　　　　どう | ⑨ | ⑩ |

## 漢字を書きましょう
かんじ　か

① 彼女とのあいしょうをうらなう。
かのじょ

② 子どもの話しあいてになる。
こ　　はな

③ そうしそうあいの仲。
なか

④ がいしょうかいだんが行われる。
おこな

⑤ しょうだんがまとまる。

⑥ 社長のしじにしたがって行動する。
しゃちょう　　　　　　こうどう

⑦ 時計のはりが12時をさしている。
とけい　　　　じ

⑧ 好きな気持ちをたいどでしめす。
す　きも

| ① | ② | ③ | ④ |
|---|---|---|---|
| ⑤ | ⑥ | ⑦ | ⑧ |

とくべつな言葉…… 示唆
ことば　しさ

# 会議　復習
かいぎ　ふくしゅう

## 【1】漢字の読み方を書いてください。
かんじ　よ　かた　か

1. 友人にお金を貸してほしいとたのまれたが、断った。
ゆうじん　かね　か

2. 男は自転車をぬすんだことをあっさりと認めた。
おとこ　じてんしゃ

3. 授業の始まりを告げるチャイムが鳴る。
じゅぎょう　はじ　な

4. 絡まった糸がなかなかほどけず、イライラする。
いと

5. 男の子は母親にほめられ、とくいそうにむねを反らせた。
おとこ　こ　ははおや

6. 部屋の温度を一定に保ってください。
へや　おんど　いってい

7. 新しい市立病院の建設について、賛否を問う。
あたら　しりつびょういん　けんせつ　と

8. 常に相手のことを考えて、発言するようにしている。
つね　あいて　かんが　はつげん

9. 部長の指示で、新しい仕事にとりかかった。
ぶちょう　しじ　あたら　しごと

10. 月に一回、社内会議を行う。
つき　いっかい　しゃない　おこな

|   |   |
|---|---|
| 1 | |
| 2 | |
| 3 | |
| 4 | |
| 5 | |
| 6 | |
| 7 | |
| 8 | |
| 9 | |
| 10 | |

## 【2】漢字を書いてください。
かんじ　か

1. 留学することを親もさんせいしてくれている。
りゅうがく　おや

2. 気持ちとはんたいのことを言ってしまうのはなぜだろう。
きも　い

3. 仕事でミスをしたら、すぐ上司にほうこくするべきだ。
しごと　じょうし

4. 彼は社内に流れているうわさをひていした。
かれ　しゃない　なが

5. この問題は、とりあえずほりゅうにしましょう。
もんだい

6. 会社のトップには、冷静なはんだんりょくが必要だ。
かいしゃ　れいせい　ひつよう

7. 明日の約束の時間をメールでかくにんする。
あした　やくそく　じかん

8. かぜで3日れんぞく会社を休んでしまった。
みっか　かいしゃ　やす

9. 会社にもどる前に、電話でいっぽうを入れる。
かいしゃ　まえ　でんわ

10. 今後のことについて、友人にそうだんする。
こんご　ゆうじん

|   |   |
|---|---|
| 1 | |
| 2 | |
| 3 | |
| 4 | |
| 5 | |
| 6 | |
| 7 | |
| 8 | |
| 9 | |
| 10 | |

# 16章・17章　アチーブメントテスト

【1】次の文の下線をつけた言葉の読み方を①〜④の中から選び、番号を書いてください。

1. 体のことを考えて、先月からからたばことお酒を断っている。

　　①　ことわって　　　②　たって　　　　③　ちかって　　　④　やって

2. 彼は毎日ちこくをしていたので、アルバイトを辞めさせられてしまった。

　　①　やめさせられて　②　あきらめさせられて　③　とめさせられて　④　じめさせられて

3. 彼はとうとう今年で会長の職を退くことになった。

　　①　ひく　　　　　　②　のぞく　　　　③　しぞく　　　　④　しりぞく

4. エアコンをちょうせつして、部屋の温度を保つ。

　　①　たもつ　　　　　②　ほつ　　　　　③　もつ　　　　　④　もたつ

5. このグラフは女性の晩婚化が進んでいることを示している。

　　①　しるして　　　　②　しじして　　　③　しめして　　　④　しさして

| 1 | | 2 | | 3 | | 4 | | 5 | |
|---|---|---|---|---|---|---|---|---|---|

【2】次の文の下線をつけた言葉の書き方を①〜④の中から選び、番号を書いてください。

1. サインをもとめて、おおぜいのファンが選手のまわりに集まった。

　　①　必めて　　　　　②　求めて　　　　③　要めて　　　　④　欲めて

2. たくさん荷物をつんだトラックが前を走っている。

　　①　績んだ　　　　　②　責んだ　　　　③　積んだ　　　　④　蹟んだ

3. がんばって勉強したら、校内の学力テストで好成績をおさめることができた。

　　①　納める　　　　　②　収める　　　　③　治める　　　　④　修める

4. 駅の係員が酔っぱらった男にからまれた。

　　①　絡まれた　　　　②　空まれた　　　③　連まれた　　　④　怒まれた

5. しゅしょうが事件に関するコメントを発表した。

　　①　仕相　　　　　　②　首相　　　　　③　主相　　　　　④　収相

| 1 | | 2 | | 3 | | 4 | | 5 | |
|---|---|---|---|---|---|---|---|---|---|

【3】①〜⑳の下線部の漢字または読み方を書いてください。

## 「ぼくは新入社員」

入社してから半年がたって、少しずつ①しごとにもなれてきた。
とは言っても、まだまだ失敗することも多い。不注意で小さなミスをすることはよくあるし、この間は②苦労して作った大事な書類を電車の中に忘れて、③えきいんに聞きながら夜遅くまで④さがし回った。重要なことをじょうしに⑤確認しないで、自分で勝手に⑥判断して失敗することもある。昨日は取引先の⑦あいてに⑧失礼なことを言って、後で係長に「君は⑨常識がない」と怒られてしまった。

えいぎょう⑩しょくは、「自分には向いていないのかな。⑪辞めてしまおうか」と思うこともある。でも、このしごとを始めて半年。まだまだこれからだ。今はミスをしないように、じょうしの⑫指示がわからないときはきちんと⑬たしかめたり、まよったら、すぐにじょうしに⑭そうだんしたりするようにしよう。そして、⑮常に「笑顔」でいることを心がけたい。

今日は⑯会議の後、係長に飲みに⑰つれて行ってもらった。係長にはいつも怒られてばかりだが、今日は優しくはげまされ、またやる気が出てきた。飲んだ後、ラーメンもごちそうになった。この店のラーメンはスープがとても⑱のうこうでおいしかった。明日は⑲給料日。もっとしごとの⑳ちしきを深めるために、ビジネス書を買おうと思っている。

| ① | ② | ③ | ④ |
|---|---|---|---|
| ⑤ | ⑥ | ⑦ | ⑧ |
| ⑨ | ⑩ | ⑪ | ⑫ |
| ⑬ | ⑭ | ⑮ | ⑯ |
| ⑰ | ⑱ 濃 | ⑲ | ⑳ |

# 16章・17章　クイズ

【1】下線の漢字にはまちがいがあります。例のように正しい漢字に直してください。

(例) 会義までにこのしりょうをコピーしておいてください。　　⇒　　会 | 議 |

1. 将来は外交管になって、世界中を飛び回りたい。　　⇒　　外交 | |

2. 他の人の意見も聞いた上で半断する。　　⇒　　| | 断

3. あの作家は文学賞の受賞を辞根したそうだ。　　⇒　　辞 | |

4. 空一面が熱い雲におおわれている。　　⇒　　| | い

5. 父も母もこころよく留学に質成してくれた。　　⇒　　| | 成

【2】次のような場合、何と言いますか。□□の漢字を＿＿＿に入れて言葉を完成させてください。

1. 必要な情報を知らせる。　　・・・・＿＿＿絡する

2. セミナーの内容をまとめてじょうしに出す。　　・・・・＿＿＿告する

3. どうしていいかわからなくて、先生の意見を聞く。　　・・・相＿＿＿する

4. 今は決めないで、またべつの日に考えよう。　　・・・保＿＿＿にする

5. ずっとだれにも話さなかったけど、思い切って話そう。　　・・・＿＿＿白する

6. 仕事でいろいろなことを経験して、ひとまわり大きくなった。　・・・＿＿＿長する

7. 在庫の数が合っているかどうか、もう一度数える。　　・・・＿＿＿認する

告・談・報・連・留・確・成

138

【3】下線の漢字の読み方を書いてください。

≪①求人②広告≫

**すきやき銀座館　アルバイト ③店員ぼしゅう！**

＜場所＞　　　　　　　銀座三丁目
＜時間・曜日＞　　　18:00 ～ 22:00

　　　　　　　　　　週 3～4日　※ 曜日は④相談の上、決定します。

＜⑤時給＞　　　　　1,000 円～　※ 交通費⑥支給

＜⑦仕事内容＞

　お客様の注文をとったり、お料理を出したりする接客が中心です。接客が初めての方
にもていねいに教えます！ 明るい方、人と話すのが好きな方、いっしょに働きませんか。
　おうぼされる方は、下記番号までお電話ください。

＜⑧連絡先＞　　03-53 ○○ - △△×× 　担当：ヒグチ

| ① | ② | ③ | ④ |
|---|---|---|---|
| ⑤ | ⑥ | ⑦ | ⑧ |

【4】（　　　）に入る言葉を　□　から選んでください。

**大学生相談室**

Q：私は今大学3年生です。これからしゅうしょく（　　　　）を始めようと思っています
　が何をしたらいいか不安です。今できることを教えてください。

A：まずは一般（　　　　）やニュースなどの（　　　　）、ビジネスマナーなどの（　　　　）
　を身につけるようにしてください。新聞やインターネットなどを使うといいでしょう。社会
　人のせんぱいの話を聞いたり、（　　　　）に乗ってもらうのもいいですね。

Q：先日、ある会社から内定をもらいましたが、父が「一流の会社ではないからだめだ。」と、
　この会社に入ることに（　　　　）しています。どうしたらいいでしょうか。

A：まずは、あなたが入りたい会社がどんな会社か、お父様に説明する必要がありますね。
　その会社で働くのはあなたですから、なぜそこを選んだのか話して、お父様に（　　　　）
　してもらえるようにぜひがんばってください。

| 賛成 ・ 相談 ・ 情報 ・ 活動 ・ 知識 ・ 反対 ・ 常識 |
|---|

# 管理職
かんりしょく

最 もっと-も
サイ
(12)

最

副 フク
(11)

副

管 くだ
カン
(14)

管

者 もの
シャ
(8)

者

## 漢字を読みましょう
かんじ　よ

① カスピ海は世界最大の湖だ。
かい　　　　みずうみ

② 学校から家まで最短で1時間だ。
がっこう　いえ　　さいたん　じかん

③ 副賞で電子辞書をもらった。
ふくしょう　でんし じしょ

④ この会社の副社長は社長の弟だ。
かいしゃ　ふくしゃちょう　しゃちょう おとうと

⑤ じしんで水道管がはれつした。
すいどうかん

⑥ 管理職はストレスがたまりやすい。
かんりしょく

⑦ 酒に酔って管をまく。
さけ　よ　　くだ

⑧ 彼は政界の有力者だ。
かれ　せいかい　ゆうりょくしゃ

⑨ 田中さんはクラスの人気者だ。
たなか　　　　　　にんきもの

⑩ まちで記者のインタビューを受けた。
きしゃ　　　　　　　　　　う

| ① | ② | ③ | ④ | ⑤ |
|---|---|---|---|---|
| ⑥ | ⑦ | ⑧ | ⑨ | ⑩ |

## 漢字を書きましょう
かんじ　か

① 東京は日本でもっとも人口が多い。
とうきょう　にほん　　　　　じんこう　おお

② さいごに教室を出た人は田中さんだ。
きょうしつ　で　ひと　たなか

③ さいきん、妹が結婚した。
いもうと　けっこん

④ 今日は今年のさいこう気温を記録した。
きょう　ことし　　　　きおん　きろく

⑤ 薬のふくさようでねむくなった。
くすり

⑥ 婚約ゆびわを大切にほかんする。
こんやく　　　　たいせつ

⑦ 原宿には多くのわかものが集まる。
はらじゅく　おお　　　　　　あつ

⑧ 子どもの時は、いしゃになりたかった。
こ　　　とき

| ① | ② | ③ | ④ |
|---|---|---|---|
| ⑤ | ⑥ | ⑦ | ⑧ |

# 世代
せ　だい

現　あらわ-れる　あらわ-す
　　ゲン
(11)

旧　キュウ
(5)

昔　むかし
　　セキ　シャク
(8)

次　つ-ぐ　つぎ
　　ジ　シ
(6)

## 漢字を読みましょう

① この薬は1時間で効果を現す。
　　くすり　　じかん　　こうか

② 現行の教科書にはのっていない。
　　げんこう　きょうかしょ

③ 芸能界に期待の新人が出現した。
　　げいのうかい　きたい　しんじん

④ 田村さんの旧姓は田中だ。
　　たむら　　　　たなか

⑤ この家は100年続く旧家だ。
　　いえ　　ねんつづ

⑥ そふからこの地方の昔話を聞いた。
　　　　　　　ちほう　　　　き

⑦ 私は英語に次いで数学が好きだ。
　　わたし　えいご　　　すうがく　す

⑧ 次回のテストは来週の金曜日だ。
　　じかい　　　　らいしゅう　きんようび

⑨ 会社に戻り次第、連絡してください。
　　かいしゃ　もど　　　れんらく

⑩ 席次表を見て座ってください。
　　せきじ　み　すわ

| ① | ② | ③ | ④ | ⑤ |
|---|---|---|---|---|
| ⑥ | ⑦ | ⑧ | ⑨ | ⑩ |

## 漢字を書きましょう

① 彼は、約束の時間ぴったりにあらわれた。
　　かれ　やくそく　じかん

② げんじつてきな計画を立てた。
　　　　　　　　けいかく　た

③ げんざいの社会問題について話し合う。
　　　　　しゃかいもんだい　　はな　あ

④ このパソコンはきゅうしきだ。

⑤ きゅうゆうとの再会。
　　　　　　さいかい

⑥ きゅうしょうがつには国へ帰りたい。
　　　　　　　　　　　　くに　かえ

⑦ むかしこの辺りは畑だったそうだ。
　　　　　あた　はたけ

⑧ つぎの日曜日、友達に会う予定だ。
　　　　にちようび　ともだち　あ　よてい

| ① | ② | ③ | ④ |
|---|---|---|---|
| ⑤ | ⑥ | ⑦ | ⑧ |

とくべつな言葉……　昔日、今昔
　　　　　ことば　　　せきじつ　こんじゃく

# 予算 1
よさん

億 オク
(15)

兆 きざ-す　きざ-し
チョウ
(6)

費 つい-える　つい-やす
ヒ
(12)

算 サン
(14)

## 漢字を読みましょう
かんじ　よ

① 1960年代に日本の人口は一億をこえた。
② 国全体に独立のムードが兆す。
③ 天気が回復の兆しを見せている。
④ 仕事がなくなり、貯金が費える。
⑤ 学費は親に送ってもらった。
⑥ 消費者行動を研究する。
⑦ パーティー会場の入口で会費を払う。
⑧ 食費をせつやくする。
⑨ 算数の授業が一番好きだ。
⑩ 私は暗算がとくいだ。

| ① | ② | ③ | ④ | ⑤ |
|---|---|---|---|---|
| ⑥ | ⑦ | ⑧ | ⑨ | ⑩ |

## 漢字を書きましょう
かんじ　か

① 宝くじでいちおくえんが当たる。
② 国がかかえる何ちょうもの借金。
③ 春のきざしを感じる。
④ じしんのぜんちょう。
⑤ ダム建設に長い年月をついやした。
⑥ 国へ帰るひようを貯金している。
⑦ 来年度のよさんが決まった。
⑧ 彼はけいさんが速い。

| ① | ② | ③ | ④ |
|---|---|---|---|
| ⑤ | ⑥ | ⑦ | ⑧ |

# 予算２
よさん

供 とも　そな‐える
キョウ　ク
(8)

税 ゼイ
(12)

## 漢字を読みましょう
かんじ　よ

① 社長のお供で、京都へ行った。
しゃちょう　　　　きょうと　い

② シャンプーの試供品をもらった。

③ けいさつに情報を提供する。
じょうほう

④ このお酒には関税がかかっている。
さけ

⑤ 彼女は犯行を自供した。
かのじょ　はんこう

⑥ 国民は増税に反対している。
こくみん　　　　　　はんたい

| ① | ② | ③ てい | ④ |
|---|---|---|---|
| ⑤ | ⑥ ぞう | | |

## 漢字を書きましょう
かんじ　か

① おはかに花をそなえる。
はな

② 安定した食料のきょうきゅうをめざす。
あんてい　しょくりょう

③ ぜいきんは有効に使わなければならない。
ゆうこう　つか

④ ねだんにはしょうひぜいがふくまれる。

⑤ 政府は来年げんぜいを行うことを決めた。
せいふ　らいねん　　　　おこな　　き

⑥ ぜいかんで荷物を調べられた。
にもつ　しら

| ① | ② | ③ | ④ |
|---|---|---|---|
| ⑤ 減 げん | ⑥ | | |

とくべつな言葉……　供養、子供
ことば　　　　　くよう　こども

143

# 会社　復習
かいしゃ　ふくしゅう

## 【1】漢字の読み方を書いてください。
かんじ　よ　かた　か

1. 副社長は今会議に出席している。
いま かい ぎ　しゅっせき

2. 彼はおもしろいので、クラスの人気者だ。
かれ

3. 私は結婚しても会社では旧姓を使っている。
わたし けっこん　かいしゃ　つか

4. 山田さんは約束の時間から30分遅れて現れた。
やま だ　やくそく　じ かん　ぶんおく

5. 調査の結果、何億もの借金があることがわかった。
ちょうさ けっか　しゃっきん

6. 私はそろばんを習っていたので、暗算がとくいだ。
わたし　なら

7. 税金は有効に使わなければならない。
ゆうこう　つか

8. 管理職になり、仕事のストレスがふえた。
し ごと

9. 最近の子どもは外で遊ばなくなった。
こ　そと あそ

10. 家がならんでいるこの辺りは昔、畑だった。
いえ　あた　はたけ

| 1 | |
| 2 | |
| 3 | |
| 4 | |
| 5 | |
| 6 | |
| 7 | |
| 8 | |
| 9 | |
| 10 | |

## 【2】漢字を書いてください。
かんじ　か

1. とちゅうで寝てしまい、映画のさいごを見のがした。
ね　えい が　み

2. 大切な書類なので、きちんとほかんした。
たいせつ　しょるい

3. しょうぜいは表示のねだんにふくまれている。
ひょうじ

4. つぎの日曜日、ハイキングに行く。
にちよう び　い

5. 会長のおともでアメリカへ行く予定だ。
かいちょう　い よ てい

6. 薬のふくさようでねむくなってしまった。
くすり

7. 日差しや風が暖かくなり、春のきざしを感じる。
ひ ざ　かぜ あたた　はる　かん

8. 彼はけいさんが速くて正確だ。
かれ　はや　せいかく

9. しんぶんきしゃにインタビューされた。

10. この絵は湖のうつくしさがうまくひょうげんされている。
え　みずうみ

| 1 | |
| 2 | |
| 3 | |
| 4 | |
| 5 | |
| 6 | |
| 7 | |
| 8 | |
| 9 | |
| 10 | |

144

## 産業 1
### さんぎょう

**産** (11)　うーまれる　うーむ　うぶ
　　　サン

**農** (13)　ノウ
*farming*

**貿** (12)　ボウ

**商** (11)　あきなーう
　　　ショウ

## 漢字を読みましょう
### かんじ　よ

① 姉の家に赤ちゃんが<u>産まれた</u>。
　　あね　いえ　あか

② 元気な<u>産声</u>が聞こえる。
　　げんき　　　　き

③ バーコードで野菜の<u>生産者</u>がわかる。
　　　　　　　　やさい

④ 会社が<u>倒産</u>して、仕事を失う。
　　かいしゃ　　　　しごと　うしな

⑤ 留学の経験は人生の<u>財産</u>になる。
　　りゅうがく　けいけん　じんせい

⑥ この辺りの地方は<u>農業</u>がさかんだ。
　　　あた　　ちほう

⑦ 私の家は代々<u>農家</u>だ。
　　わたし　いえ　だいだい

⑧ 宝石を<u>貿易</u>する会社で働く。
　　ほうせき　　　　かいしゃ　はたら

⑨ ブランド品を<u>商う</u>仕事を始める。
　　　　ひん　　　しごと　はじ

⑩ 今日はどの<u>商店</u>も休みだった。
　　きょう　　　　　　やす

| ① | ② | ③ | ④ | ⑤ ざい |
|---|---|---|---|---|
| ⑥ | ⑦ | ⑧ | ⑨ | ⑩ |

## 漢字を書きましょう
### かんじ　か

① 子犬がたくさん<u>うまれた</u>。
　　こいぬ

② <u>さんぎょう</u>がさかえた町。
　　　　　　　　　　　まち

③ <u>しゅっさん</u>のお祝いをおくる。
　　　　　　　いわ

④ <u>ふどうさんや</u>でアパートを探す。
　　　　　　　　　　　　さが

⑤ 大学の<u>のうがくぶ</u>に進学する。
　　だいがく　　　　　しんがく

⑥ 外国との<u>ぼうえき</u>。
　　がいこく

⑦ <u>しょうばい</u>でもうける。

⑧ <u>しょうぎょう</u>がさかんな町。
　　　　　　　　　　　まち

| ① | ② | ③ | ④ |
|---|---|---|---|
| ⑤ | ⑥ | ⑦ | ⑧ |

とくべつな言葉……　**土産**
　　　　　　ことば　　みやげ

# 産業２
さんぎょう

機　はた
キ
(16)

械　カイ
(11)

危　あや－ぶむ　あや－うい　あぶ－ない
キ
(6)

険　けわ－しい
ケン
(11)

## 漢字を読みましょう
かんじ　よ

① 機会があったらまた会いましょう。

② 東京は交通機関が発達している。
とうきょう　こうつう　　　はったつ

③ パンダはぜつめつの危機にある。

④ 機械で車の部品を作る。
くるま　ぶ ひん　つく

⑤ となりの部屋から機をおる音がする。
へ や　　　　　　　おと

⑥ 道がせまい上に交通量が多く危ない。
みち　　　　　うえ　こうつうりょう　おお

⑦ このままでは当選は危うい。
とうせん

⑧ 負けが続き、優勝が危ぶまれる。
ま　　　つづ　　ゆうしょう

⑨ ガン保険の加入者がふえる。
かにゅうしゃ

⑩ 二人の間が険悪なふんいきになる。
ふたり　あいだ

| ① | ② | ③ | ④ | ⑤ |
|---|---|---|---|---|
| ⑥ | ⑦ | ⑧ | ⑨ | ⑩ |

## 漢字を書きましょう
かんじ　か

① きのうがありすぎてうまく使えない。
つか

② 犯行のどうきを正直に答える。
はんこう　　　　しょうじき　こた

③ 人生のてんきがおとずれる。
じんせい

④ 運転中のきかいにさわると危ない。
うんてんちゅう　　　　　　　あぶ

⑤ きけんな運転でじこを起こす。
うんてん　　　　お

⑥ 合格があやぶまれる。
ごうかく

⑦ けわしい山道を行く。
やまみち　い

⑧ けわしい顔つきで考えこむ。
かお　　　かんが

| ① | ② | ③ | ④ |
|---|---|---|---|
| ⑤ | ⑥ | ⑦ | ⑧ |

# 技術
ぎ じゅつ

技 わざ
ギ
(7)

技

術 ジュツ
(11)

術

## 漢字を読みましょう
かんじ よ

① じゅうどうの技があざやかに決まる。
　　　　　　　　き

② 彼女の涙はどうやら演技だったようだ。
　かのじょ　なみだ

③ 自動車の開発技術が向上した。
　じ どうしゃ　かいはつ　　こうじょう

④ 来週、手術を受けることになった。
　らいしゅう　　　　　う

⑤ 美術館で有名な画家の絵を見る。
　　　　　　ゆうめい　が か　え　み

| ① | ② | ③ | ④ | ⑤　び |
|---|---|---|---|---|
| | | | | |

## 漢字を書きましょう
かんじ か

① わざをみがく。

② 学校できゅうぎ大会が行われる。
　がっこう　　　　　　たいかい　おこな

③ 運転ぎじゅつを身につける。
　　　　　　　　み

④ げいじゅつ家になる。
　　　　　　か

| ① | ② | ③ | ④ |
|---|---|---|---|
| | | | |

# 手工業
しゅこうぎょう

編 あ-む
　 ヘン
(15)

| 編 | | | |
|---|---|---|---|

綿 わた
　 メン
(14)

| 綿 | | | |
|---|---|---|---|

布 ぬの
　 フ
(5)

| 布 | | | |
|---|---|---|---|

皮 かわ
　 ヒ
(5)

| 皮 | | | |
|---|---|---|---|

## 漢字を読みましょう
かんじ　よ

① 編んだセーターをプレゼントする。

② 彼女のしゅみは編み物だそうだ。
　かのじょ

③ 大学の三年次編入の試験を受ける。
　だいがく　さんねんじ　　　しけん　う

④ この服はシルクではなく綿100％だ。
　　　ふく

⑤ 冬はやはり綿入りの布団が暖かい。
　ふゆ　　　　い　　ふとん　あたた

⑥ はさみで布を切る。
　　　　　　　き

⑦ 寒くて毛布にくるまる。
　さむ

⑧ 駅前で号外を配布する。
　えきまえ　ごうがい

⑨ ギョーザの皮で具を包む。
　　　　　　ぐ　つつ

⑩ 仕事で失敗して部長に皮肉を言われる。
　しごと　しっぱい　ぶちょう　　　　い

| ① | ② | ③ | ④ | ⑤ |
|---|---|---|---|---|
| ⑥ | ⑦ | ⑧ | ⑨ | ⑩ |

## 漢字を書きましょう
かんじ　か

① てあみのセーター。

② 記事をへんしゅうする。
　きじ

③ 小説のぜんぺんと後編。
　しょうせつ　　　　こうへん

④ めんで洋服を作る。
　　　ようふく　つく

⑤ ぬのでできたバッグを買う。
　　　　　　　　　　か

⑥ 田んぼに農薬をさんぷする。
　た　　　のうやく

⑦ けがわのコートを買う。
　　　　　　　　か

⑧ 子どもから大人へとだっぴする。
　こ　　　　おとな

| ① | ② | ③ | ④ |
|---|---|---|---|
| ⑤ | ⑥ 散<br>さん | ⑦ | ⑧ 脱<br>だっ |

# 貧富
ひんぷ

**貧** (11)
まず-しい
ヒン　ビン

**富** (12)
と-む　とみ
フ　フウ

**豊** (13)
ゆた-か
ホウ

**等** (12)
ひと-しい
トウ

## 漢字を読みましょう

① 家が貧しくて学校に行けなかった。

② 貧血で倒れた人の手当てをする。

③ 子どものころ、貧乏な生活を送った。

④ 日本はきせつの変化に富んだ国だ。

⑤ 彼なら経験に富んでいるので安心だ。

⑥ 魚はカルシウムを豊富にふくむ。

⑦ 貧富の差が大きいことが問題だ。

⑧ この二つの図形は大きさが等しい。

⑨ 大学卒業と同等の学力を持つ。

⑩ じょうしと対等に話し合う。

| ① | ② | ③ ぼう | ④ | ⑤ |
|---|---|---|---|---|
| ⑥ | ⑦ | ⑧ | ⑨ | ⑩ |

## 漢字を書きましょう

① まずしい家計を助ける。

② ひんじゃくな体格。

③ ふじさんに登る。

④ とみと名声を手にする。

⑤ 彼は才能ゆたかな画家だ。

⑥ ケーキをきんとうに切り分ける。

⑦ かざらず、とうしんだいの自分を出す。

⑧ じょうとうなワインをプレゼントされた。

| ① | ② | ③ | ④ |
|---|---|---|---|
| ⑤ | ⑥ | ⑦ | ⑧ |

とくべつな言葉……　富貴
ことば　　　　　　　ふうき

## 産業　復習
（さんぎょう　ふくしゅう）

### 【1】漢字の読み方を書いてください。
（かんじ　よ　かた　か）

1. バーコードから野菜の生産者の情報がわかる。
（やさい　　　　　　　じょうほう）

2. 父は農業をしているが、母はパートで働いている。
（ちち　　　　　　　　はは　　　　　　はたら）

3. こんざつをさけるため公共の交通機関をご利用ください。
（こうきょう　　　　　　　　りよう）

4. 初対面でも親しくなる、相手の心をつかむ技を持つ。
（しょたいめん　した　　　あいて　こころ　　　　　　も）

5. 貧富の差をなくそうと、国のかいかくに取り組む。
（さ　　　　　　　くに　　　　　　　と　く）

6. ビルの窓ふきは危険な作業だが、その分時給もよい。
（まど　　　　　さぎょう　　　　ぶんじきゅう）

7. 編み物がしゅみの母は、セーターをよく作ってくれた。
（あ　もの　　　　　　　はは　　　　　　　　　つく）

8. 綿のような雪が降り、一晩で30センチも積もった。
（ゆき　ふ　ひとばん　　　　　　　つ）

9. 今は本物の毛皮ではなく、フェイクファーが主流だ。
（いま　ほんもの　　　　　　　　　　　　しゅりゅう）

10. この二つの三角形は、面積が等しい。
（ふた　さんかくけい　めんせき）

|  |  |
|---|---|
| 1 |  |
| 2 |  |
| 3 |  |
| 4 |  |
| 5 |  |
| 6 |  |
| 7 |  |
| 8 |  |
| 9 |  |
| 10 |  |

### 【2】漢字を書いてください。
（かんじ　か）

1. うまれたばかりの赤ちゃんの手は、本当に小さい。
（あか　　　　て　ほんとう　ちい）

2. 友人とぼうえき会社を作り、宝石を売っている。
（ゆうじん　　　　　　がいしゃ　つく　ほうせき　う）

3. けわしい山道を進み、やっとちょうじょうに着いた。
（やまみち　すす　　　　　　　　　　　　つ）

4. きかいかが進み、短時間で大量生産が可能になった。
（すす　たんじかん　たいりょうせいさん　かのう）

5. このびじゅつかんは有名画家の絵があることで知られる。
（ゆうめいがか　え　　　　　　　　し）

6. チャレンジする機会を、男女を問わずびょうどうにする。
（きかい　　　だんじょ　と）

7. 食料品から日用品まで手広くしょうばいする。
（しょくりょうひん　にちようひん　てびろ）

8. 町の情報を集めた記事をへんしゅうする。
（まち　じょうほう　あつ　きじ）

9. 優れたぎじゅつを身につけようと努力する。
（すぐ　　　　　　　み　　　　　　どりょく）

10. 日本は経済的にゆたかな国になった。
（にほん　けいざいてき　　　　くに）

|  |  |
|---|---|
| 1 |  |
| 2 |  |
| 3 |  |
| 4 |  |
| 5 | 美び |
| 6 |  |
| 7 |  |
| 8 |  |
| 9 |  |
| 10 |  |

# ルール 1

## 法 ホウ ハッ ホッ
(8)

| 法 | | | | |
|---|---|---|---|---|

## 律 リツ リチ
(9)

| 律 | | | | |
|---|---|---|---|---|

## 規 キ
(11)

| 規 | | | | |
|---|---|---|---|---|

## 則 ソク
(9)

ruli
counter for rules

| 則 | | | | |
|---|---|---|---|---|

## 漢字を読みましょう
かんじ　よ

① 法学部進学を目指している。
しんがく　めざ

② 何かいい方法がないか考える。
なに　　　　　　　かんが

③ 国会は日本の立法機関である。
こっかい　にほん　　きかん

④ 祝日は法律で決められている。
しゅくじつ　　　　き

⑤ 規律正しい生活を送る。
ただ　せいかつ　おく

⑥ 細かい心づかいのできる律儀な人だ。
こま　こころ　　　　　　　　ひと

⑦ 会社の規則をやぶる。
かいしゃ

⑧ 新規に開店したカラオケ店に行く。
かいてん　　　　　てん　い

⑨ 原則から外れることは認めない。
はず　　　　みと

⑩ すべては自然の法則にしたがって動く。
しぜん　　　　　　　うご

| ① | ② | ③ | ④ | ⑤ |
|---|---|---|---|---|
| ⑥ ぎ | ⑦ | ⑧ | ⑨ | ⑩ |

## 漢字を書きましょう
かんじ　か

① さいぜんのほうほうを考える。
かんが

② ぶんぽうの勉強は難しい。
べんきょう　むずか

③ じりつてきな人材を求める。
じんざい　もと

④ 学校のきそくを守る。
がっこう　まも

⑤ 検査に合格したきかく品。
けんさ　ごうかく　ひん

⑥ 会社のきぼを広げる。
かいしゃ　ひろ

⑦ はんそくをして退場させられる。
たいじょう

⑧ へんそくてきなスケジュール。

| ① | ② | ③ | ④ |
|---|---|---|---|
| ⑤ | ⑥ 模 ぼ | ⑦ | ⑧ |

とくべつな言葉……　法度、　法華
ことば　　　　はっと　ほっけ

# ルール2

禁
キン
(13)

| 禁 | | | |
|---|---|---|---|

許
ゆる‐す
キョ
(11)

| 許 | | | |
|---|---|---|---|

件
ケン
(6)

| 件 | | | |
|---|---|---|---|

## 漢字を読みましょう
かんじ　よ

① 車の通行を<u>禁止</u>する。
くるま つうこう

② 医者にタバコを<u>禁</u>じられた。
いしゃ

③ 彼のまちがいを<u>許す</u>。
かれ

④ 運転<u>免許</u>を取る。
うんてん　　と

⑤ 入学を<u>許可</u>する。
にゅうがく

⑥ 未解決の<u>事件</u>がようやく解決した。
み かいけつ　　　　　　　　　かいけつ

⑦ <u>条件</u>を満たした人だけがおうぼできる。
み　　ひと

⑧ 取り急ぎ、メールで<u>用件</u>だけ伝える。
と いそ　　　　　　　　　　　つた

| ① | ② | ③ | ④　めん |
|---|---|---|---|
| ⑤ | ⑥ | ⑦　じょう | ⑧ |

## 漢字を書きましょう
かんじ　か

① テスト中の私語を<u>きんじる</u>。
ちゅう しご

② 今年こそ<u>きんしゅ</u>するつもりだ。
ことし

③ 彼女に心を<u>ゆるす</u>。
かのじょ こころ

④ 多少のミスは<u>きょよう</u>する。
たしょう

⑤ 駅の近くの<u>ぶっけん</u>を探す。
えき ちか　　　　　　　　さが

⑥ けいたい電話の登録<u>けんすう</u>。
でんわ　とうろく

| ① | ② | ③ | ④　　容 |
|---|---|---|---|
| | | | よう |
| ⑤ | ⑥ | | |

# 犯罪
はんざい

犯　おか-す
　　ハン
(5)

罪　つみ
　　ザイ
(13)

容　ヨウ
(10)

疑　うたが-う
　　ギ
(14)

## 漢字を読みましょう
① 大切な試験でミスを犯す。
② 私のケーキを食べた犯人をさがす。
③ 防犯カメラを取り付ける。
④ 犯罪の発生件数がぞうかしている。
⑤ 相手に罪をかぶせて自分はうまくにげる。
⑥ テキストの内容をくわしく説明する。
⑦ 美容院でかみを切ってもらった。
⑧ パソコンの空き容量を調べる。
⑨ 会社のほうしんに疑問を持つ。
⑩ 事件の容疑者がたいほされる。

| ① | ② | ③ ぼう | ④ | ⑤ |
|---|---|---|---|---|
| ⑥ | ⑦ び | ⑧ | ⑨ | ⑩ |

## 漢字を書きましょう
① 規則をおかす。
② はんざい者の心理をさぐる。
③ ざいあくかんに苦しむ。
④ 会場のしゅうよう人数を調べる。
⑤ これはよういに解ける問題ではない。
⑥ 私が犯人だとうたがわれた。
⑦ 説明の後、しつぎおうとうを行う。
⑧ はんしんはんぎで話を聞く。

| ① | ② | ③ | ④ |
|---|---|---|---|
| ⑤ | ⑥ | ⑦ | ⑧ |

# 争い
あらそ

争 あらそ-う
　ソウ
(6)

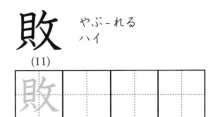

敗 やぶ-れる
　ハイ
(11)

兵 ヘイ　ヒョウ
(7)

軍 グン
(9)

## 漢字を読みましょう

① 父のいさんをめぐって 兄弟で争う。
② となりの国と戦争になる。
③ 一点差で相手チームに敗れた。
④ 勝敗は時の運にも左右される。
⑤ 試合で大敗する。
⑥ 何事も失敗はせいこうのもと。
⑦ このチームは不敗をほこっている。
⑧ 多くの兵がいのちを落とす。
⑨ 両国は兵器をへらすことで同意した。
⑩ 軍を率いて、てきちに向かって進む。

| ① | ② | ③ | ④ | ⑤ |
|---|---|---|---|---|
| ⑥ | ⑦ | ⑧ | ⑨ | ⑩ |

## 漢字を書きましょう

① 世界で一、二をあらそう名選手。
② 両者のあらそいにまきこまれる。
③ 彼にお願いしたのはしっぱいだった。
④ 市長選でライバルにやぶれる。
⑤ 初戦ではいたいしてしまった。
⑥ 何万ものへいをしきする。
⑦ 陸・海・空ぐん。
⑧ 努力していちぐんに上がった。

| ① | ② | ③ | ④ |
|---|---|---|---|
| ⑤ | ⑥ | ⑦ | ⑧ |

とくべつな言葉…… 兵糧
　　　　　　　　　　ひょうろう

# 政治
せいじ

役 <small>ヤク　エキ</small>
(7)

臣 <small>シン　ジン</small>
(7)

## 漢字を読みましょう
かんじ　　よ

① 役所で転入の手続きをする。
<small>てんにゅう　　て つづ</small>

② 自分にあたえられた役割を果たす。
<small>じ ぶん　　　　　　　　　　　　　　は</small>

③ 新作ドラマの配役が発表される。
<small>しんさく　　　　　　はいやく　はっぴょう</small>

④ 兵役につくことが定められている。
<small>へいえき　　　　　　　　　　さだ</small>

⑤ 新しい大臣が、ほうふを語った。
<small>あたら　　だいじん　　　　　　　かた</small>

| ① | ② | ③ | ④ | ⑤ |
|---|---|---|---|---|
|   |   |   |   |   |

## 漢字を書きましょう
かんじ　　か

① 友人の会社のやくいんになる。
<small>ゆうじん　かいしゃ</small>

② 会議で議長のたいやくを果たす。
<small>かいぎ　ぎちょう　　　　　　　　は</small>

③ しえきけいを覚える。
<small>　　　　　　　おぼ</small>

④ 日本のないかくそうりだいじん。
<small>に ほん</small>

| ① | ② | ③ | ④ |
|---|---|---|---|
|   |   |   |   |

とくべつな言葉……臣下
<small>　　　　　　ことば　　しん か</small>

# 法律　復習
ほうりつ　ふくしゅう

## 【1】漢字の読み方を書いてください。
かんじ　よ　かた　か

1. べんごしになるために、大学で法律を学んでいる。
だいがく　まな

2. 形が規格外で見た目が良くない野菜も、味は変わらない。
かたち　みため　よ　やさい　あじ　か

3. 自分がミスを犯したせいで、チームが負けてしまった。
じぶん　ま

4. 自分の罪をすなおに認めてあやまる。
じぶん　みと

5. 子どもは親の期待を受けながら受験戦争を経験する。
こ　おや　きたい　う　じゅけん　けいけん

6. 一度失敗したくらいで、あきらめてはいけない。
いちど

7. 疑問を持ったらそのままにせず、聞いてください。
も　き

8. 試験に合格して、入学の許可が無事に下りた。
しけん　ごうかく　にゅうがく　ぶじ　お

9. あらゆる兵器は、人類の生存をおびやかしている。
じんるい　せいぞん

10. さまざまな大臣を歴任し、首相の座についた。
れきにん　しゅしょう　ざ

| | |
|---|---|
| 1 | |
| 2 | |
| 3 | |
| 4 | |
| 5 | |
| 6 | |
| 7 | |
| 8 | |
| 9 | |
| 10 | |

## 【2】漢字を書いてください。
かんじ　か

1. 食事やすいみん時間に気をつけ、きそく正しい生活をする。
しょくじ　じかん　き　ただ　せいかつ

2. この問題を解決するためにいいほうほうがないか考える。
もんだい　かいけつ　かんが

3. 図書の貸し出しはげんそくとして2週間で五冊までです。
としょ　か　だ　しゅうかん　ごさつ

4. 悪質なはんざいがふえ、社会問題になっている。
あくしつ　しゃかいもんだい

5. 担当者は不在です。どのようなごようけんでしょうか。
たんとうしゃ　ふざい

6. 私の大学ではバイク通学はきんしされている。
わたし　だいがく　つうがく

7. 待ち合わせに2時間も平気で遅れるなんてゆるせない。
ま　あ　じかん　へいき　おく

8. ミスがないかないようを確認し、サインをお願いします。
かくにん　ねが

9. 彼女は人をうたがうことを知らない人だ。
かのじょ　し　ひと

10. 結婚式でしかいのたいやくをつとめることになった。
けっこんしき

| | |
|---|---|
| 1 | |
| 2 | |
| 3 | |
| 4 | |
| 5 | |
| 6 | |
| 7 | |
| 8 | |
| 9 | |
| 10 | |

# 18章～20章　アチーブメントテスト

【1】次の文の下線をつけた言葉の読み方を①～④の中から選び、番号を書いてください。

1. 亡くなった父のために、毎朝ぶつだんに花とお茶を供える。

   ①　たくわえる　　②　そなえる　　③　ささえる　　④　さしえる

2. この国の人は、貧富の差が大きいことに不満を持っている。

   ①　ひんぶ　　②　びんふ　　③　びんぶ　　④　ひんぷ

3. 優勝をかけた戦いで、残念ながら一点差で敗れてしまった。

   ①　やぶれて　　②　かたれて　　③　まけれて　　④　おわれて

4. 仕事でミスしたことで部長に皮肉を言われ、落ちこんだ。

   ①　かわにく　　②　かにく　　③　ひにく　　④　にくかわ

5. 彼女は、彼が約束通り自分の元にもどってくると信じて疑わない。

   ①　おもわない　　②　うたがわない　　③　にくわない　　④　きらわない

| 1 | | 2 | | 3 | | 4 | | 5 | |
|---|---|---|---|---|---|---|---|---|---|

【2】次の文の下線をつけた言葉の書き方を①～④の中から選び、番号を書いてください。

1. おなかの子は、来月うまれる予定です。

   ①　生まれる　　②　産まれる　　③　誕まれる　　④　性まれる

2. また、お会いできるきかいを楽しみにしています。

   ①　機械　　②　器会　　③　機会　　④　器械

3. この公園はかんりがしっかり行きとどいていて、だれもが安心して利用できる。

   ①　官理　　②　管理　　③　菅理　　④　完理

4. この道は細い上に交通量も多いので、とてもあぶない。

   ①　険ない　　②　急ない　　③　免ない　　④　危ない

5. みんなが解けない問題も、頭のいい彼ならよういに解いてしまうだろう。

   ①　用位　　②　容囲　　③　容易　　④　用意

| 1 | | 2 | | 3 | | 4 | | 5 | |
|---|---|---|---|---|---|---|---|---|---|

【3】①～⑳の下線部の漢字または読み方を書いてください。

かせんぶ かんじ よ かた か

＜期待のリーダー、ついに①現れる＞
きたい

彼は②農家の生まれで、子どものころから③まずしい生活を送っていた。高校時代は学
かれ せいかつ おく こうこうじだい がっ
校に通いながら④皮せいひん工場でアルバイトをし、そして大学に進学した。
こう かよ こうじょう だいがく しんがく

大学では経済学を学び、町の経済がなかなか⑤ゆたかにならないことに⑥ぎもんを持っ
だいがく けいざいがく まな まち けいざい も
た彼は、大学卒業後、ふるさとの⑦やくにたちたいと考え、⑧さんぎょうの活性化に力を
かれ だいがくそつぎょうご かんが かっせいか
つくすことを決めた。
き

しかし、⑨昔ながらのやり方では「町の経済はゆたかにならない」という考えを持つ彼は、
かた まち けいざい かんが も かれ
町の人との⑩争いをたびたび引き起こした。それでも彼がそれに負けずに努力したことで、
まち ひと あらそ ひ お かれ ま どりょく
町の収入がふえ、⑪なんおくもあった借金が⑫次第に少なくなった。
まち しゅうにゅう しゃっきん すく

町の人から理解されるようになった彼はやがて町長となり、町の⑬よさんにむだがない
まち ひと りかい かれ ちょうちょう まち
か見直し、よぶんな⑭出費をへらした。さらに、⑮ぜいきんの引き上げ、⑯ほけんせいど
みなお ひ あ
の立て直しを行った。また、経済面だけでなく町の人に⑰ぎじゅつを持つことをすすめ、
た なお おこな けいざいめん まち ひと も
町で⑱最も優れた⑲ものを決める大会を開いて上位者には経済的なサポートも行った。
まち もっと すぐ き たいかい ひら じょういしゃ けいざいてき おこな
ただ経済を立て直すだけではなく、町全体が活気を取りもどしたことで、彼はリーダーとし
けいざい た なお まちぜんたい かっき と かれ
ての⑳大役を見事に果たした。
みごと は

| ① | ② | ③ | ④ |
|---|---|---|---|
| ⑤ | ⑥ | ⑦ | ⑧ |
| ⑨ | ⑩ | ⑪ | ⑫ |
| ⑬ | ⑭ | ⑮ | ⑯ |
| ⑰ | ⑱ | ⑲ | ⑳ |

# 18章～20章　クイズ

【1】☐ に入る漢字を一字、書いてください。

① ☐ { 人をさがす / 罪を重ねる }

② ☐ { 則正しい生活 / 律を守る }

③ 事 用 } ☐ { が発生する / を伝える }

④ また会う / 車の部品を } ☐ { 会を作る / 械で作る }

⑤ 技 手 } ☐ { をみがく / を受ける }

【2】( ) に入る漢字を ☐ から選んで、言葉を完成させてください。

＜　小学生の男の子が、チャンスがあったらやってみたい仕事　＞

① そうり　（　大　　　　）　…国のリーダーになってみたいから。

② 本の　（　　　　集者　）　…自分が出した本が売れたら有名になるから。

③ （　ぼう　　　家　）　…チャレンジするのがかっこいいから。

④ （　新聞　　　者　）　…有名な人に会って話を聞くのは楽しそうだから。

⑤ （　区　　　所　）の人　…経済がよくなくても安定しているから。

⑥ （　　　　家　）　…自分で作った野菜がよろこばれたらうれしいから。

| 険 | 臣 | 編 | 農 | 役 | 記 |

**【3】** ＿＿＿＿＿の言葉の読み方を書いてください。

○月△日　天気　晴れ

今日、学校でぼくの町の産業①（　　）の歴史ついて調べた。

町ができたころは主に農業、特に野菜②（　　）作りがさかんで、その野菜は主に都市部に出荷されていたそうだ。

車の工場ができた後は、町の約半分の人が車工場で働くようになり、この町の技術の高さが全国③（　　）に知られるようになったそうだ。なんだかすごいなあ。

工場の機械化が進んで人の手をあまり使わなくなると、今度は商業④（　　）やサービス業がさかえてきたそうだ。

今では外国⑤（　　）との貿易がこの町を支えているらしい。

だから、お父さんは英語ができないと、後で困るぞといつも言っているのかなあ。

今回調べて⑥（　　）、自分の町の産業がだんだん大きくなってきたことがわかった。今、豊かな⑦（　　）生活ができているのも、きっとそのおかげなんだろうな。

**【4】**（　　　）に入る漢字を □ から選んで書いてください。

≪ある国の首相の思い≫

この国は問題が山積みだ…。

まずは私の強力な助けとなる、①（　　）首相を決めよう。

そして、国内の②（　　）の差をどうすれば小さくできるかを考えなければ。

みなが③（　　）な社会にするための、いい④（　　）はないだろうか。

経済を安定させるには⑤（　　）を上げる必要もあるが、そんなことをして、

今も生活が苦しいと感じている人々が⑥（　　）くれるだろうか…。

ああ、それにまわりの国では、⑦（　　）が続いているところもある。

不安のない国にするにはどうすればいいだろうか…。やはり⑧（　　）の

使用を⑨（　　）するための各国への働きかけも必要だろう。

とにかく、私には人々の生活を守るという大きな⑩（　　）がある。

理想を⑪（　　）していくのは⑫（　　）道のりだが、

なんとかがんばらなければ…。

| | | | | |
|---|---|---|---|---|
| 平等 | 税金 | 貧富 | 険しい | 許して |
| 兵器 | 副 | 実現 | 戦争 | 方法 | 役目 | 禁止 |

# 12章～20章　まとめテスト

【1】 次の文の下線をつけた言葉の読み方を①～④の中から選び、番号を書いてください。

1. 駅を出て、大きな道をまっすぐ行くと、二つ目の角に病院がある。
   ① かく　　　　② かど　　　　③ つの　　　　④ かつ

2. 世界には、まだまだ貧しい子どもたちがたくさんいる。
   ① とぼしい　　② さびしい　　③ くやしい　　④ まずしい

3. 大学に合格したが、急に帰国することになったので入学を辞退した。
   ① したい　　　② じだい　　　③ じちょう　　④ じたい

4. この問題集は解説がとてもわかりやすくて、学生の間でひょうばんだ。
   ① かいさつ　　② かいせつ　　③ げせつ　　　④ げさつ

5. 国から親が来日する日、くうこうまで迎えに行った。
   ① ひかえ　　　② むきえ　　　③ げいえ　　　④ むかえ

| 1 | | 2 | | 3 | | 4 | | 5 | |
|---|---|---|---|---|---|---|---|---|---|

【2】 次の文の下線をつけた言葉の書き方を①～④の中から選び、番号を書いてください。

1. このごろ昼間はとてもあたたかいが、夜になると急に冷えこむ。
   ① 暑かい　　　② 温かい　　　③ 熱かい　　　④ 暖かい

2. 私の会社は、毎年しゃいん旅行でハワイへ行く。
   ① 社員　　　　② 社院　　　　③ 社引　　　　④ 社飲

3. 信号が青になっても左右の安全をかくにんしてから、わたってください。
   ① 確任　　　　② 覚人　　　　③ 確認　　　　④ 覚認

4. ガスかん工事のため、道の半分が通れなくなっている。
   ① 間　　　　　② 感　　　　　③ 管　　　　　④ 缶

5. 昨夜、この辺りでさつじんじけんが起こったらしい。
   ① 事件　　　　② 事見　　　　③ 自見　　　　④ 自件

| 1 | | 2 | | 3 | | 4 | | 5 | |
|---|---|---|---|---|---|---|---|---|---|

【3】①〜⑳の下線部の漢字または読み方を書いてください。

『日本での生活』

日本に来て半年がたちました。日本へ来た理由は、日本の大学を①<u>そつぎょう</u>して、②<u>貿易</u>に関する仕事をしたいと思ったからです。

日本語の勉強はたくさん③<u>おぼえる</u>ことがあります。④<u>やさしく</u>はありませんが、学校の⑤<u>じゅぎょう</u>はわかりやすいし、先生も優しいのでとても楽しいです。

でも、日本での生活は⑥<u>苦労</u>が多いです。⑦<u>時給</u>がいいアルバイトを⑧<u>探して</u>いますがなかなか見つかりません。また、日本に来ておどろいたこともたくさんあります。特に日本の交通です。日本と私の国では車の走る道が⑨<u>ぎゃく</u>なので、⑩<u>横断歩道</u>をわたるとき、⑪<u>させつ</u>してくる車にびっくりしたことがあります。また、毎日日本のどこかで⑫<u>犯罪</u>が起きているということにもおどろきました。もちろん、私の国よりは⑬<u>きけん</u>ではありませんが、毎日の生活に⑭<u>ちゅうい</u>しなければなりません。

確かにたいへんなことも多いですが、旅行が好きな私は来月の⑮<u>三連休</u>に、⑯<u>二泊三日</u>で北海道へ旅行に行くことにしました。ツアーの⑰<u>にってい</u>の中に⑱<u>「雪祭り」</u>というのがありました。楽しみにしています。

日本での⑲<u>留学</u>はまだ⑳<u>続きます</u>。いろいろな経験をして、勉強はもちろん生活もがんばっていきたいと思います。

| ① | ② | ③ | ④ |
|---|---|---|---|
| ⑤ | ⑥ | ⑦ | ⑧ |
| ⑨ | ⑩ | ⑪ | ⑫ |
| ⑬ | ⑭ | ⑮ | ⑯ |
| ⑰ | ⑱ | ⑲ | ⑳ |

# とくべつな読み方をする漢字

| | | | |
|---|---|---|---|
| 明日 | あす | 兄さん | にいさん |
| 笑顔 | えがお | 姉さん | ねえさん |
| お母さん | おかあさん | 二十 | はたち |
| お父さん | おとうさん | 二十日 | はつか |
| 大人 | おとな | 一人 | ひとり |
| 仮名 | かな | 二人 | ふたり |
| 昨日 | きのう | 二日 | ふつか |
| 今日 | きょう | 下手 | へた |
| 果物 | くだもの | 部屋 | へや |
| 今朝 | けさ | 真面目 | まじめ |
| 今年 | ことし | 真っ赤 | まっか |
| 差し支える | さしつかえる | 真っ青 | まっさお |
| 上手 | じょうず | 土産 | みやげ |
| 足袋 | たび | 息子 | むすこ |
| 一日 | ついたち | 木綿 | もめん |
| 手伝う | てつだう | 八百屋 | やおや |
| 時計 | とけい | 浴衣 | ゆかた |
| 友達 | ともだち | 行方 | ゆくえ |

# 索引
さくいん

167

168

169

170

# 解答
かいとう

【1章 生活】
● p8　生活1
①おきる　②おこった　③おこして　④しんしつ　⑤しんだいしゃ　⑥あびる　⑦にっこうよく
⑧よくしつ　⑨ゆ　⑩ねっとう
①早起き　②起動　③昼寝　④寝かす　⑤水浴び　⑥浴びせる　⑦海水浴　⑧湯船
● p9　生活2
①あらう　②せんざい　③すいせん　④せんたく　⑤ほす　⑥ひもの　⑦じゃっかんめい
⑧せいかつ　⑨かつどう　⑩かっぱつに
①手洗い　②洗面所　③洗濯物　④干す　⑤食生活　⑥活気　⑦活用　⑧活動
● p10　ゴミ
①ひろう　②しゅうとくぶつ　③じゅうまんえん　④すてる　⑤ししゃごにゅう　⑥もえた
⑦もす　⑧ねんりょう　⑨ふくろ　⑩かみぶくろ
①拾い　②拾った　③捨て　④捨て　⑤燃料　⑥燃やす　⑦手袋　⑧袋
● p11　カレンダー1
①にちようび　②かようび　③しゅうまつ　④きまつ　⑤けつまつ　⑥すえ　⑦さくばん
⑧さくねん　⑨よくあさ　⑩よくじつ
①曜日　②木曜日　③月末　④末っ子　⑤年末　⑥昨日　⑦昨夜　⑧翌年
● p12　カレンダー2
①よてい　②てんきよほう　③ていねん　④さだか　⑤さだめる　⑥もちいられて　⑦よう
⑧りよう　⑨ようじ　⑩だいじな
①予習　②定まらない　③定規　④用紙　⑤事　⑥工事　⑦習い事　⑧食事
● p13　復習
【1】1.しんしつ　2.ねんまつねんし　3.ほした　4.おきた　5.すえっこ
6.てぶくろ　7.せいかつ　8.せんたくもの　9.ねっとう　10.もやす
【2】1.早起き　2.予定　3.用いられて　4.浴びて　5.拾い　6.捨てる
7.定年　8.金曜日　9.手洗い　10.大事な


【2章　家】
● p14　室内1
①おして　②おういん　③おさえた　④ひける　⑤ごういんに　⑥とる　⑦しゅざい　⑧きえる
⑨けす　⑩しょうぼうしゃ
①押された　②引く　③引火　④引き出す　⑤引用　⑥取り消す　⑦消し　⑧消化
● p15　室内2
①と　②あみど　③もんこ　④まど　⑤まど　⑥しゃそう　⑦ろっかい　⑧かいだん
⑨いしだん　⑩しゅだん
①井戸水　②一戸建て　③同窓会　④窓　⑤窓口　⑥階　⑦階段　⑧段階
● p16　庭
①うえる　②しょくぶつ　③いしょく　④は　⑤ことば　⑥ば　⑦み　⑧じつげん　⑨じっか
⑩ねもと

①植わって　②植木　③紅葉　④実　⑤実力　⑥根　⑦屋根　⑧根本

● p17　建築

①たつ　②こんりゅう　③きずく　④かいちく　⑤しんちく　⑥かまえる　⑦こうぞう
⑧つくる　⑨もくぞう　⑩ぞうか
①建てる　②建築　③築　④構成　⑤構内　⑥構わない　⑦建造物　⑧造船

● p18　室内3

①もうける　②けんせつ　③せってい　④はしら　⑤でんちゅう　⑥きんこ　⑦むいた
⑧むかう　⑨むこう　⑩ほうこう
①設計　②設立　③建設　④大黒柱　⑤車庫　⑥向いた　⑦向けて　⑧向上心

● p19　復習

【1】1．けす　2．だいこくばしら　3．しんちく　4．もくぞう　5．おされて
6．じつりょく　7．いっこだて　8．きんこ　9．うえた　10．こんりゅう
【2】1．紅葉　2．構える　3．屋根　4．階段　5．設計　6．取り消した　7．向いたら
8．築　9．窓　10．強引な

● p20　1章・2章　アチーブメントテスト（配点：【1】【2】は各2点，【3】は各4点）

【1】1．③　2．④　3．②　4．④　5．③
【2】1．③　2．①　3．④　4．②　5．③
【3】①いっこだて　②日曜日　③しんちく　④構造　⑤つくられて　⑥おゆ　⑦階段
⑧うえられて　⑨紅葉　⑩南向き　⑪窓　⑫生活　⑬けんちくか　⑭設計　⑮しゅうまつ
⑯早起き　⑰しんりんよく　⑱車庫　⑲末　⑳予定

● p22　1章・2章　クイズ

【1】1．翌　2．押　3．拾　4．袋　5．植
【2】①生活　②起　③洗濯　④燃　⑤燃　⑥築　⑦窓　⑧金曜日　⑨一階
【3】1．昨晩　2．構える　3．葉　4．用事　【4】1．造　2．消　3．引　4．設

【3章　料理】

● p24　作る1

①あつい　②こうねつ　③ひえて　④ひやして　⑤つめたい　⑥さめて　⑦あたたまった
⑧あたたかい　⑨おんど　⑩たび
①熱心に　②冷や　③冷やかす　④冷ます　⑤温かな　⑥温める　⑦体温計　⑧支度

● p25　作る2

①ざいりょう　②もくざい　③かた　④てんけいてきな　⑤もけい　⑥やいた　⑦えんしょう
⑧ひやけ　⑨うつわ　⑩しょっき
①素材　②材料　③人材　④焼く　⑤焼ける　⑥容器　⑦器　⑧器用な

● p26　食材1

①たまご　②らんぱく　③ちち　④にゅうし　⑤こむぎこ　⑥ふんまつ　⑦こなぐすり
⑧しおあじ　⑨しお　⑩えんそ
①卵　②産卵　③牛乳　④乳　⑤哺乳類　⑥粉雪　⑦花粉　⑧塩分

● p27　食材2

①やさい　②なのはな　③せいか　④はたす　⑤かじつしゅ　⑥とうふ　⑦まめ　⑧だいず
⑨あきかん　⑩かん
①生野菜　②菜園　③果てた　④果て　⑤豆　⑥豆　⑦缶　⑧缶

● p28 単位
①さかずき ②いっぱい ③かんぱい ④まいすう ⑤にまいめ ⑥にひき ⑦ひってき
⑧けいりょう ⑨ぶんりょう ⑩じゅうりょう
①一杯 ②杯 ③三枚 ④五枚 ⑤二十匹 ⑥三匹 ⑦量る ⑧軽量
● p29 復習
【1】1. ねっとう 2. ひえる 3. せいか 4. いっぱい 5. ざいりょう 6. しょっき
7. たまご 8. こな 9. やさい 10. だいず
【2】1. 熱すぎて 2. 気温 3. 温かく 4.五枚 5. 焼けた 6. 型 7. 牛乳
8. 量ったら 9. 塩分 10. 缶

【4章 病院】
● p30 体
①あたま ②ずつう ③ねんとう ④かお ⑤がんめん ⑥くび ⑦しゅ ⑧はなみず
⑨はな ⑩じびか
①口頭 ②頭文字 ③笑顔 ④顔負け ⑤顔色 ⑥首 ⑦首相 ⑧鼻
● p31 呼吸
①よぶ ②よぶ ③すわないで ④しんこきゅう ⑤すう ⑥きゅうそく ⑦いき ⑧いき
⑨りそく ⑩あせ
①呼ぶ ②呼吸 ③吸い ④息 ⑤息苦しい ⑥汗 ⑦冷や汗 ⑧発汗
● p32 検査
①てんけん ②たんけん ③けんさ ④ちょうさ ⑤さしょう ⑥は ⑦むしば
⑧えいきゅうし ⑨いたく ⑩げきつう
①歯科 ②歯車 ③痛む ④痛い ⑤検査 ⑥検証 ⑦検討 ⑧審査員
● p33 けが
①ち ②けっかん ③けっとうしょ ④れいけつ ⑤せっけっきゅう ⑥つつんで ⑦ほうたい
⑧おび ⑨いったい ⑩おび
①血 ②血 ③血色 ④液体 ⑤血液型 ⑥包んだ ⑦連帯感 ⑧携帯
● p34 救急
①すくう ②きゅうきゅうしゃ ③きゅうえん ④たすかる ⑤たすける ⑥じょげん
⑦きゅうじょ ⑧しんだ ⑨ししゅ ⑩もうじゃ
①救って ②救急箱 ③助けた ④救済 ⑤援助 ⑥補助 ⑦亡命 ⑧死亡者
● p35 復習
【1】1. あたま 2. しゅい 3. すくった 4. こきゅう 5. じびか 6. あせ
7. ほうたい 8. しゅっけつ 9. しぼう 10. たすけた
【2】1. 頭痛 2. 虫歯 3. 息 4. 顔負け 5. 鼻声 6. 検査 7. 一帯
8. 血液型 9. 助かる 10. 救急車
● p36 3章・4章 アチーブメントテスト (配点:【1】【2】は各2点,【3】は各4点)
【1】1. ① 2. ④ 3. ② 4. ③ 5. ④
【2】1. ③ 2. ① 3. ② 4. ③ 5. ①
【3】①ざいりょう ②こむぎこ ③卵 ④ぎゅうにゅう ⑤缶 ⑥ぶんりょう ⑦量る ⑧息
⑨ねっとう ⑩冷めない ⑪型 ⑫度 ⑬包んで ⑭助けて ⑮ひやけ ⑯歯 ⑰えがお
⑱けいたい ⑲血 ⑳汗

● p38  3章・4章  クイズ
【1】1. 杯 かんぱい  2. 冷 つめたい  3. 豆 えだまめ  菜 なまやさい  焼 やきざかな
4. 缶 かん  5. 塩 しおあじ  6. 痛 ずつう
【2】1. 熱 汗 温  2. 血  3. 鼻 呼  4. 液 検
【3】①材料  ②卵  ③小麦粉  ④牛乳  ⑤果物  ⑥量る  ⑦型  ⑧焼く  ⑨度  ⑩温める

【5章  スポーツ】
● p40  勝負
①たたかう  ②まけいくさ  ③さくせん  ④けっていせん  ⑤けつい  ⑥あっしょう
⑦まさって  ⑧しょうぶ  ⑨ふたん  ⑩せおって
①挑戦  ②戦い  ③決心  ④多数決  ⑤決める  ⑥決勝  ⑦負けて  ⑧負かした
● p41  大会
①かわって  ②だい  ③しょくじだい  ④だいり  ⑤みのしろきん  ⑥ひょう  ⑦あらわせない
⑧ひょうじ  ⑨かいすうけん  ⑩まわって
①時代  ②交代  ③表れて  4. 表  ⑤代表  ⑥回収  ⑦回して  ⑧第一回
● p42  記録1
①しるす  ②あんき  ③きにゅう  ④とうろく  ⑤ぎじろく  ⑥ろくが  ⑦すぐれた
⑧ゆうしょう  ⑨ゆうせん  ⑩しょうじょう
①日記  ②記事  ③記念  ④記録  ⑤録音  ⑥優しい  ⑦受賞  ⑧賞金
● p43  記録2
①びょうよみ  ②まいびょう  ③ひざし  ④じさ  ⑤さ  ⑥さべつ  ⑦よそく  ⑧そくてい
⑨じゅんじょ  ⑩じゅんばん
①秒  ②秒速  ③大差  ④差して  ⑤測量  ⑥計測  ⑦順  ⑧不順
● p44  野球
①ちきゅうぎ  ②きゅうぎ  ③だきゅう  ④きょうだ  ⑤だいだ  ⑥とうだ  ⑦とうしょ
⑧じゅうてん  ⑨まんてん  ⑩だてん
①野球部  ②打った  ③投手  ④投げた  ⑤同点  ⑥利点  ⑦点数  ⑧交差点
● p45  復習
【1】1. かって  2. きろく  3. まけて  4. てんすう  5. なげて  6. しょう
7. あらわれて  8. やさしい  9. たたかい  10. だいいっかい
【2】1. 打った  2. 決心  3. 地球  4. 差  5. 秒  6. 代表  7. 決めた  8. 計測
9. 回る  10. 順番

【6章  感情】
● p46  恋愛1
①かんじょうてきに  ②あんしんかん  ③かんどう  ④なさけ  ⑤ふぜい  ⑥こいしい  ⑦こう
⑧あいよう  ⑨あいじょう  ⑩れんあい
①感じた  ②感想  ③感心  ④友情  ⑤同情  ⑥恋  ⑦恋人  ⑧愛
● p47  恋愛2
①しんらい  ②しんごう  ③くうそう  ④あいそ（あいそう）  ⑤つたえる  ⑥つたって
⑦でんせつ  ⑧でんごん  ⑨でんとう  ⑩ほっする
①信じて  ②自信  ③信用  ④予想  ⑤理想  ⑥伝わった  ⑦食欲  ⑧欲しい

● p48　悩み
①くるしんで　②くるしめた　③にがみ　④くつう　⑤くじょう　⑥なやまされて　⑦こまった
⑧こんなん　⑨がたい　⑩なんしょ
①苦しい　②苦い　③苦労　④苦心　⑤悩んで　⑥困って　⑦難しくて　⑧難問
● p49　気持ちの表れ1
①おこられた　②げきど　③かなしい　④ひげき　⑤ひかん　⑥わらった　⑦ばくしょう
⑧えんだ　⑨よろこばれた　⑩きどあいらく
①怒り　②悲しむ　③悲恋　④大笑い　⑤笑顔　⑥笑い声　⑦喜んで　⑧大喜び
● p50　気持ちの表れ2
①のこして　②ざんりゅう　③ざんせつ　④せんねん　⑤ねんがん　⑥しんねん　⑦ねん
⑧ないた　⑨ごうきゅう　⑩なみだごえ
①残って　②残念　③残さず　④入念に　⑤理念　⑥泣き　⑦泣き虫　⑧涙
● p51　復習
【1】1.　あいじょう　2.　れんあいちゅう　3.　りそうてきな　4.　なみだ　5.　なやんで
6.　おこられた　7.　ざんねん　8.　かなしい　9.　こんなん　10.　よろこんで
【2】1.　感想文　2.　恋人　3.　伝言　4.　自信　5.　泣いた　6.　苦しかった
7.　困った　8.　難しい　9.　笑った　10.　欲しい
● p52　5章・6章　アチーブメントテスト（配点：【1】【2】は各2点，【3】は各4点）
【1】1.　①　2.　②　3.　④　4.　①　5.　③
【2】1.　②　2.　③　3.　①　4.　①　5.　④
【3】①悩み　②恋人　③一回　④野球　⑤せん　⑥うって　⑦勝ちたい　⑧わらって
⑨あいじょう　⑩悲しく　⑪なみだ　⑫れんあい　⑬信じて　⑭伝える　⑮むずかしい
⑯泣いたり　⑰おこったり　⑱かんじょう　⑲困らせる　⑳やさしい
● p54　5章・6章　クイズ
【1】1.　打　うって　2.　秒　いちびょうさ　3.　記　にっき　4.　順　じゅんい
5.　欲　ほしい
【2】1.　決　2.　記　3.　苦　4.　涙　5.　感
【3】①だいひょう　②とうしゅ　③たま　④じしん　⑤しょうぶ　⑥やきゅう　⑦えがお
⑧じゅうななしょう　⑨さいたしょう　⑩ゆうしょう


【7章　結婚】
● p56　結婚
①むすぶ　②ゆわえる　③ゆう　④けっこん　⑤けっか　⑥きんこんしき　⑦しんこん
⑧しょうかい　⑨ちゅうかいりょう　⑩ぎょかいるい
①結ぶ　②結って　③結末　④結論　⑤婚約　⑥未婚　⑦紹介　⑧魚介
● p57　独身
①どくしん　②どくりつ　③ひとりごと　④みぢかな　⑤しんちょう　⑥ちょきん　⑦ちょぞう
⑧きまつ　⑨きたい　⑩さいご
①独り立ち　②独身　③出身　④身分　⑤中身　⑥貯金　⑦前期　⑧新学期
● p58　婚約
①よやく　②こんやく　③はなたば　④たば　⑤かならず　⑥ひっしょう　⑦まもる
⑧こもりうた　⑨しゅび　⑩るす
①解約　②約　③結束　④束　⑤束縛　⑥必死　⑦守り　⑧厳守

● p59　結婚式
①せいしき　②けっこんしき　③しょしき　④ぎょうれつ　⑤れっとう　⑥いわう　⑦しゅくが
⑧ふつかよい　⑨よっぱらい　⑩でいすい
①一式　②株式　③一列　④列車　⑤祝い　⑥祝日　⑦祝儀　⑧酔い
● p60　幸せ
①えいえん　②えいじゅう　③ねがう　④がんしょ　⑤さいわいな　⑥さち　⑦しあわせ
⑧こううん　⑨ふく　⑩しゃかいふくしし
①永く　②願い　③出願　④不幸　⑤幸せに　⑥幸　⑦幸福な　⑧祝福
● p61 復習
【1】1．しんちょう　2．しゅっしん　3．ゆわえて　4．みまもって　5．ぎょうれつ
6．はなたば　7．いっしき　8．えいじゅう　9．ふつかよい　10．ひとりごと
【2】1．独立　2．予約　3．新婚　4．必ず　5．紹介　6．貯金　7．幸せな
8．祝福　9．願って　10．祝い


【8章　関係】
● p62　人間関係
①せきしょ　②かかわる　③げんかん　④かかりいん　⑤かんけい　⑥やわらぎ　⑦なごむ
⑧わしょく　⑨つく　⑩ふきん
①関東地方　②関わる　③関心　④関係　⑤和らげる　⑥和やかに　⑦片付ける
⑧身に付ける
● p63　家族
①むすめ　②おいて　③ふけて　④ろうご　⑤ふうふ　⑥ふじん　⑦しゅふぎょう　⑧しんぷ
⑨せい　⑩どうせいどうめい
①娘　②娘　③老いた　④敬老　⑤老夫婦　⑥主婦　⑦姓　⑧姓
● p64　仲間
①なかよし　②ちゅうさい　③きみ　④くん　⑤かれ　⑥かのじょ　⑦ひがん　⑧ほか
⑨たこく　⑩たにん
①仲　②仲間　③仲介　④君　⑤彼氏　⑥彼女　⑦他社　⑧他言無用
● p65　友人
①そめ　②かきぞめ　③ういういしい　④しょにち　⑤ふたたび　⑥さいしけん　⑦さらいねん
⑧ひさしく　⑨えいきゅうに　⑩じょうたつ
①初め　②初めて　③初雪　④初心　⑤最初　⑥再会　⑦久しぶりに　⑧速達
● p66　個性
①いっこ　②こしつ　③こせいてき　④せいしつ　⑤あいしょう　⑥かっこく　⑦かくじ
⑧かく　⑨せいかく　⑩しっかく
①個人的な　②個性　③女性　④水性　⑤気性　⑥各々　⑦合格祈願　⑧体格
● p67　復習
【1】1．かかわって　2．へいわに　3．むすめ　4．ふけて　5．ろっこ　6．くん
7．ほか　8．しょしん　9．さらいげつ　10．かく
【2】1．関係　2．夫婦　3．同姓同名　4．老後　5．個性的な　6．性格　7．仲
8．初めて　9．再会　10．速達

【9章　単位】
● p68　単位1
①たんどく　②かんたん　③ふくすう　④ちょうふく　⑤まったく　⑥すべて　⑦ぜんぶ
⑧ぜんぜん　⑨いご　⑩いか
①簡単な　②単位　③複雑な　④安全　⑤完全燃焼　⑥全体　⑦以上　⑧以内
● p69　単位2
①みらい　②みまん　③みちる　④みたす　⑤じゅうまん　⑥まんぞく　⑦ない　⑧むきゅう
⑨ぶじに　⑩ひじょうしき
①未定　②未成年　③満ちた　④満席　⑤無口　⑥無理な　⑦非難　⑧非常口
● p70　7〜9章　アチーブメントテスト（配点：【1】【2】は各2点，【3】は各4点）
【1】1. ①　2. ②　3. ①　4. ②　5. ③　【2】1. ④　2. ③　3. ④　4. ①　5. ④
【3】①そめ　②けっこん　③祝った　④友達　⑤紹介　⑥つきあい　⑦婚約　⑧まもる
⑨酔った　⑩むくちな　⑪せいかく　⑫君　⑬どくしん　⑭祝福　⑮けっこんしき　⑯仲
⑰じょうたつ　⑱娘　⑲幸せ　⑳ねがって
● p72　7〜9章　クイズ
【1】1. 結　2. 娘　3. 姓　4. 仲　5. 係　6. 約　7. 紹
【2】1. 無　むくち・むりょう　2. 未　みらい・みてい　3. 初　はつゆき・しょしん
4. 再　さいかい・さいせい　5. 非　ひなん・ひじょう
【3】①幸せ　②独立　③各地　④個性　⑤娘　⑥以上　⑦貯金　⑧和食
【4】①けっこん　②ふうふ　③さいかい　④つきあって　⑤こせい　⑥かれ
⑦しあわせな　⑧かならず　⑨まもる　⑩やくそく　⑪ねがって

【10章　学校】
● p74　子ども
①ようちえん　②おさなともだち　③ようしょうき　④おさない　⑤しょうにか　⑥いくじ
⑦わらべうた　⑧どうわ　⑨きょうと　⑩せいとすう
①幼い　②幼児　③小児科　④乳児　⑤児童　⑥童心　⑦生徒　⑧徒歩
● p75　先生
①かつぐ　②になう　③たんとう　④まかせる　⑤じにん　⑥いし　⑦おんし　⑧くみ
⑨くみたてる　⑩そしきず
①負担　②担任　③任される　④教師　⑤調理師　⑥組んで　⑦組み合わせ　⑧番組
● p76　教室
①つくえ　②がくしゅうづくえ　③すわる　④せいざ　⑤いた　⑥こくばん　⑦いたまえ
⑧ふで　⑨えんぴつ　⑩まんねんひつ
①机　②正座　③座って　④板　⑤板書　⑥筆者　⑦筆記試験　⑧筆
● p77　図書館
①かした　②かし　③たいしゃく　④かしかり　⑤しゃっきん　⑥かえる　⑦かえす
⑧へんしん　⑨さんさつ　⑩べっさつ
①貸し切って　②借りる　③借地　④くり返す　⑤寝返り　⑥返事　⑦返品　⑧小冊子
● p78　体育
①どうぐ　②ぶんぐてん　③ぐたい　④はこ　⑤あきばこ　⑥ぼう　⑦ぼう　⑧のびた
⑨のべる　⑩くっしん
①家具　②遊具　③本箱　④箱　⑤鉄棒　⑥棒　⑦伸ばしたい　⑧伸び

● p79 復習
【1】 1. になって　2. ひっしゃ　3. さっし　4. まかせられる　5. すわって
6. おさない　7. つくえ　8. しょうにか　9. のびた　10. かりた
【2】 1. 教師　2. 組　3. 黒板　4. 家具　5. 箱　6. 童話　7. 貸した　8. 生徒
9. 返信　10. 棒

【11章　受験】
● p80　希望
①きしょう　②きぼう　③ぼうえんきょう　④のぞんで　⑤ゆめ　⑥むちゅう　⑦ゆめみる
⑧まと　⑨ぜんこくてきに　⑩もくてき
①希望　②望遠　③失望　④悪夢　⑤夢　⑥夢中　⑦具体的な　⑧的中
● p81　学校探し
①かのうな　②かのうせい　③さいのう　④のうりょくしけん　⑤しらべる　⑥じゅんちょう
⑦ととのった　⑧ちょうさ　⑨せんきょ　⑩えらぶ
①不可能な　②能力　③性能　④体調　⑤調子　⑥調える　⑦選ばれた　⑧選手
● p82　面接1
①めんせつしけん　②おもなが　③そとづら　④めんして　⑤つぐ　⑥せっきん　⑦うける
⑧じゅけんする　⑨おとして　⑩おちた
①顔面　②面　③接する　④受かった　⑤受話器　⑥落とす　⑦落書き　⑧落語
● p83　面接2
①にばい　②ひといちばい　③ばいりつ　④ひきいて　⑤かくりつ　⑥たいらに
⑦ひらしゃいん　⑧へいじつ　⑨へいきん　⑩ひゃくえんきんいつ
①三倍　②効率　③引率　④平和な　⑤平成　⑥平らな　⑦手の平　⑧平等に
● p84　成績
①なる　②せいこう　③せいせき　④ぎょうせき　⑤よくない　⑥りょうこう
⑦りょうしんてきな　⑧わるく　⑨おかん　⑩あくい
①完成　②成長　③達成　④成人式　⑤実績　⑥不良品　⑦悪口　⑧悪化
● p85　復習
【1】 1. ばいりつ　2. せいちょう　3. いんそつしゃ　4. あくにん　5. うかった
6. ふかのう　7. そとづら　8. りょうしんてきな　9. めんせつ　10. たいちょう
【2】 1. 希望　2. 落として　3. 夢中　4. 率いて　5. 性能　6. 目的　7. 平均
8. 選ばれた　9. 調べる　10. 成績
● p86　10章・11章　アチーブメントテスト（配点：【1】【2】は各2点，【3】は各4点）
【1】 1. ②　2. ③　3. ③　4. ④　5. ④　【2】1. ②　2. ①　3. ④　4. ①　5. ④
【3】 ①まと　②組　③たんにん　④生徒　⑤えらばれた　⑥へいきんてん　⑦悪かった
⑧おちこんで　⑨かして　⑩返さなきゃ　⑪はっさつ　⑫借りた　⑬てつぼう　⑭伸びて
⑮受験　⑯筆記　⑰めんせつ　⑱倍率　⑲きぼう　⑳夢
● p88　10章・11章　クイズ
【1】 ①×窓付　○受付　②×五数　○五冊　③×帰して　○返して　④×洛書き　○落書き
⑤×具　○箱
【2】 ①面接　めんせつ　②徒歩　とほ　③希望　きぼう　④筆記　ひっき
【3】 ①不良　②まじめ　③板前　④ちょうりし　⑤机　⑥らくがき　⑦てつぼう
【4】 ①くみ　②たんにん　③せいせき　④わるく　⑤すわって　⑥おちこむ　⑦ゆめ

⑧かのうせい　⑨いし　⑩のび
● p90　1章〜11章　まとめテスト
【1】1.③　2.③　3.④　4.①　5.②
【2】1.①　2.①　3.②　4.③　5.③
【3】①優勝　②せんしゅ　③かえって　④落ちて　⑤残念　⑥悩んだ　⑦きろく
⑧伸びなくて　⑨じき　⑩なかま　⑪信じて　⑫さくねん　⑬結婚　⑭むすめ　⑮喜んで
⑯夢　⑰けっか　⑱あたたかい　⑲笑顔　⑳いじょう


【12章　授業】
● p92　授業
①さずかる　②さずけた　③かみわざ　④じゅぎょう　⑤ざんぎょう　⑥しょきゅう
⑦こうきゅうな　⑧どうきゅうせい　⑨のうそっちゅう　⑩そつぎょう
①授業　②教授　③休業　④残業　⑤中級　⑥進級　⑦卒業　⑧卒論
● p93　欠席
①かけて　②かいて　③けっせき　④せき　⑤きゃくせき　⑥よし　⑦けいゆ　⑧りゆう
⑨わけ　⑩やくして
①欠ける　②欠点　③指定席　④座席　⑤由緒　⑥自由　⑦由来　⑧言い訳
● p94　説明
①たとえば　②れいねんどおり　③やさしい　④あんいな　⑤ぼうえき　⑥とけて　⑦りかい
⑧といて　⑨といた　⑩せつめい
①例　②例外　③実例　④安易に　⑤解説　⑥解熱剤　⑦説明　⑧説く
● p95　努力
①おぼえた　②さます　③しかく　④かくご　⑤わすれもの　⑥ぼうねんかい　⑦つとめる
⑧どりょくか　⑨つづける　⑩れんぞく
①覚めた　②感覚　③味覚　④忘れて　⑤努める　⑥努力　⑦降り続いて　⑧継続
● p96　勉強
①いる　②かなめ　③ひつような　④ようやく　⑤おうふく　⑥ふっき　⑦おぎなって
⑧ほしゅう　⑨ききめ　⑩こうか
①主要な　②要注意　③回復　④復習　⑤補給　⑥立候補　⑦無効　⑧有効
● p97　復習
【1】1.さずかった　2.けっせき　3.やくした　4.れいねんどおり　5.やさしい
6.どりょく　7.れんぞく　8.とく　9.いる　10.きいて
【2】1.高級　2.卒業　3.客席　4.覚える　5.忘れて　6.復習　7.理解
8.説明　9.補う　10.理由


【13章　地球】
● p98　生物
①たね　②ひんしゅ　③たぐい　④しょるい　⑤しゅるい　⑥そんぞく　⑦ほぞん　⑧そんざい
⑨ありかた　⑩ざいがく
①種　②人種　③書類　④人類　⑤存在　⑥温存　⑦生存　⑧在宅
● p99　天体
①たいよう　②ようこう　③ようきな　④きょだいな　⑤こおり　⑥ひょうてんか　⑦かわ
⑧ひょうが　⑨かせん　⑩うんが

①太陽　②陽性　③巨人　④巨額　⑤氷　⑥かき氷　⑦氷山　⑧河口
● p100　自然
①しき　②きせつ　③きこう　④てんこう　⑤あたたかな　⑥あたたまる　⑦おんだんか
⑧ながれて　⑨ながし　⑩りゅうこう
①雨季　②冬季　③候補者　④暖める　⑤暖かい　⑥暖冬　⑦流れ　⑧流氷
● p101　地形1
①かたち　②ちけいず　③にんぎょう　④そこ　⑤てっていてきに　⑥ふかい　⑦ふかまって
⑧しんや　⑨あさかった　⑩しんせん
①形　②形式　③底　④三角形の底辺　⑤海底　⑥深める　⑦深海　⑧浅い
● p102　地形2
①しまぐに　②とうみん　③むじんとう　④ちゃくりく　⑤じょうりく　⑥きしべ　⑦かいがん
⑧がんぺき　⑨さかみち　⑩きゅうはん
①半島　②諸島　③陸　④陸上　⑤大陸　⑥川岸　⑦彼岸　⑧坂
● p103　復習
【1】1．いぞん　2．そんざい　3．ひょうてんか　4．きょだいな　5．ようきな
6．きこう　7．うんが　8．そこ　9．しんや　10．しんたいりく
【2】1．種類　2．太陽　3．形式　4.四季　5．暖かい　6．流れて　7．浅い
8．島国　9．坂道　10．海岸
● p104　12章・13章　アチーブメントテスト（配点：【1】【2】は各2点，【3】は各4点）
【1】1．②　2．③　3．①　4．②　5．③　【2】1．④　2．①　3．①　4．③　5．②
【3】①じゅうような　②ざいがくちゅう　③じゅぎょう　④復習　⑤かいせつしょ
⑥覚えましょう　⑦忘れずに　⑧しんきゅう　⑨ほしゅう　⑩よんしゅるい　⑪出席　⑫こうか
⑬努力　⑭つづけて　⑮欠席　⑯必要　⑰理由　⑱説明　⑲こうりゅうかい　⑳深めましょう
● p106　12章・13章　クイズ
【1】①説明　②補習　③有効　④種類　⑤理解　【2】な　【3】陸
【4】①自由に　②かんかく　③しゅるい　④深めましょう　⑤かいてい　⑥ひょうが
⑦たいよう　⑧四季　⑨れっとう　⑩巨大

【14章　旅行】
● p108　旅行1
①じゅんび　②せつび　③しゅび　④そなえて　⑤むかえる　⑥でむかえ　⑦かんげいかい
⑧かわる　⑨へんな　⑩へんか
①準　②準備　③備わって　④予備　⑤迎える　⑥送迎　⑦変えて　⑧変
● p109　旅行2
①とぶ　②ひこうき　③うつった　④うつす　⑤いじゅうする　⑥のぼる　⑦とざんどう
⑧とまる　⑨とめる　⑩にはくみっか
①飛ばす　②飛び出した　③移動　④移り　⑤移転　⑥登山　⑦登録　⑧宿泊
● p110　ツアー
①だんたい　②だんけつ　③がくだん　④ふとん　⑤にってい　⑥さきほど　⑦おうべい
⑧おうしゅう　⑨きゅうしゅう　⑩さんかくす
①団体　②団地　③日程　④程　⑤程度　⑥欧米化　⑦本州　⑧九州

184

● p111　観光1
①かんこうち　②しゅかんてきな　③かんきゃく　④ふね　⑤こぶね　⑥えんげい
⑦げいじゅつ　⑧がくげいかい　⑨えんぜつ　⑩えんじる
①観　②観察　③観光客　④舟　⑤文芸　⑥伝統芸能　⑦開演　⑧演技
● p112　観光2
①ほとけさま　②ぶっきょう　③だいぶつ　④かみ　⑤しんけいしつな　⑥まつる
⑦なつまつり　⑧さいじつ　⑨かいがてん　⑩あぶらえ
①念仏　②仏心　③神社　④失神　⑤祭　⑥雪祭り　⑦絵本　⑧絵の具（絵具）
● p113　復習
【1】1．きゅうしゅう　2．じゅん　3．しんけいしつ　4．おうべいか　5．だんたい
6．かいが　7．えんじる　8．じんじゃ　9．ぶっきょう　10．ふね
【2】1．迎え　2．夏祭り　3．日程　4．備えて　5．芸能人　6．観光客　7．飛んで
8．変　9．二泊三日　10．移動

【15章　交通】
● p114　交差点
①かど　②つの　③かくど　④めいきょく　⑤まがらない　⑥うせつ　⑦おり　⑧おった
⑨しんろ　⑩いえじ
①角　②頭角　③曲　④曲げない　⑤折れた　⑥左折　⑦線路　⑧道路
● p115　事故
①おう　②おわれる　③ついとつ　④つく　⑤とつぜん　⑥ころがる　⑦ころげ　⑧ころぶ
⑨てんとう　⑩たおした
①追って　②追求　③突進　④衝突　⑤転がす　⑥自転車　⑦倒れる　⑧倒産
● p116　位置
①いち　②じょうい　3、くらい　④おく　⑤おきわすれる　⑥おきば　⑦おうてん
⑧よこがお　⑨よこがき　⑩ちゅうおう
①一位　②地位　③位　④設置　⑤置く　⑥横断　⑦横道　⑧中央
● p117　道路1
①なおす　②ちょくしん　③しょうじきな　④ただちに　⑤ちょくせつ　⑥せん
⑦さからう　⑧さかだち　⑨ぎゃく　⑩がわ
①直線　②直った　③率直な　④線　⑤逆らって　⑥逆転　⑦逆上　⑧側面
● p118　道路2
①そそいで　②ちゅうい　③ちゅうもく　④いみ　⑤けつい　⑥はし　⑦いしばし
⑧すすめて　⑨しんがく　⑩しんぽ
①注意　②注ぐ　③注文　④意見　⑤意識　⑥鉄橋　⑦歩道橋　⑧進出
● p119　復習
【1】1．よこ　2．そそいだ　3．がわ　4．てっきょう　5．おって　6．ちい
7．おいて　8．ちゅうおう　9．ただちに　10．ぎゃくてん
【2】1．曲がって　2．正直　3．追った　4．突然　5．角度　6．進学　7．注意
8．倒れて　9．設置　10．線
● p120　14章・15章　アチーブメントテスト（配点：【1】【2】は各2点，【3】は各4点）
【1】1．①　2．②　3．④　4．①　5．③　【2】1．②　2．③　3．①　4．③　5．②
【3】①さきほど　②追突　③ちょくせん　④おうてん　⑤折り　⑥道路　⑦注意

⑧かんこうきゃく　⑨ゆきまつり　⑩せいねんだん　⑪準備　⑫ちゅうおう　⑬神社　⑭芸能
⑮じょうえん　⑯迎える　⑰おうべい　⑱だんたい　⑲飛行機　⑳移動
● p122　14章・15章　クイズ
【1】①泊まり　②進めば　③角　④曲がる　⑤右折　⑥左側
【2】1. 芸 迎　2. 欧 央 横　3. 移 意 位
【3】①おうしゅう　②だんたい　③かんこうきゃく　④そうげい　⑤いどう　⑥かいが
⑦まつり　⑧ちゅうい　⑨にってい　⑩ひこう　⑪しゅくはく　⑫かわる

【16章　仕事】
● p124　求職
①つかえる　②しかた　③しごと　④きゅうじ　⑤しょく　⑥しゅうしょく　⑦もとめる
⑧ようきゅう　⑨きゅうしょくちゅう　⑩さがした
①仕送り　②職業　③転職　④求める　⑤求人　⑥探り　⑦探し物　⑧探検
● p125　マナー
①つねに　②とこなつ　③つうじょうどおり　④じょうしき　⑤むいしき　⑥うしなって
⑦しつぎょう　⑧れい　⑨れいぎ　⑩しつれい
①常に　②日常　③知識　④意識　⑤失う　⑥紛失　⑦礼金　⑧礼状
● p126　仕事1
①くろう　②ひろう　③しゃいん　④てんいん　⑤きかん　⑥がいこうかん　⑦かんみん
⑧ゆうびんきょく　⑨やっきょく　⑩なんきょく
①労働　②全員　③満員　④官邸　⑤官僚　⑥器官　⑦結局　⑧局地
● p127　仕事2
①やめる　②じしょ　③じたい　④しりぞいた　⑤たいくつ　⑥たいがく　⑦つもって
⑧つんで　⑨みつもり　⑩めんせき
①辞典　②総辞職　③退ける　④後退　⑤退職　⑥積まれた　⑦積む　⑧積雪量
● p128　給料
①きゅうりょうび　②じきゅう　③おさめる　④おさめた　⑤ささえて　⑥しゅうし
⑦しはいにん　⑧ししゅつ　⑨あつい　⑩おんこうな
①初任給　②自給自足　③収まる　④吸収　⑤収入　⑥支持　⑦厚い　⑧濃厚な
● p129　復習
【1】1. しかた　2. がいこうかん　3. にちじょう　4. ちしき　5. じきゅう
6. ささえる　7. しりぞく　8. きゅうじん　9. つもって　10. しつれいな
【2】1. 職業　2. 店員　3. 探して　4. 辞書　5. 収入　6. 苦労　7. 失って
8. 温厚な　9. 局　10. 礼

【17章　会議】
● p130　会議1
①かいぎ　②ぎじろく　③さんせい　④さんどう　⑤そりかえって　⑥はんせい　⑦いはん
⑧たい　⑨ぜったいに　⑩はんたい
①会議　②議題　③自画自賛　④賛成　⑤反って　⑥反らす　⑦対立　⑧対
● p131　会議2
①こうていてきな　②いなや　③ひてい　④さんぴ　⑤たもつ　⑥ほご　⑦とまって　⑧とめる
⑨ほりゅう　⑩るすばん

①肯定的な　②拒否　③保つ　④保育園　⑤残留　⑥留意　⑦留年　⑧居留守
● p132　会議3
①はんけつ　②はんてい　③ひょうばん　④たった　⑤だんてい　⑥たしかめる　⑦たしか
⑧かくしん　⑨みとめる　⑩にんしき
①判断　②断った　③切断　④確かめる　⑤確か　⑥正確に　⑦認める
⑧確認
● p133　会議4
①むくいる　②じょうほう　③つげる　④ほうこく　⑤つらなって　⑥つれて　⑦れんぞく
⑧からまって　⑨からまれる　⑩れんらく
①報いた　②一報　③告げる　④告白　⑤連ねる　⑥関連　⑦絡めて　⑧連絡網
● p134　会議5
①あいて　②しんそう　③しゅしょう　④そうだん　⑤じょうだん　⑥くすりゆび　⑦さして
⑧しどう　⑨しめして　⑩あんじ
①相性　②相手　③相思相愛　④外相会談　⑤商談　⑥指示　⑦指して　⑧示す
● p135　復習
【1】1．ことわった　2．みとめた　3．つげる　4．からまった　5．そらせた
6．たもって　7．さんぴ　8．あいて　9．しじ　10．かいぎ
【2】1．賛成　2．反対　3．報告　4．否定　5．保留　6．判断力　7．確認
8．連続　9．一報　10．相談
● p136　16章・17章　アチーブメントテスト（配点：【1】【2】は各2点，【3】は各4点）
【1】1．②　2．①　3．④　4．①　5．③　【2】1．②　2．③　3．②　4．①　5．②
【3】①仕事　②くろう　③駅員　④探し　⑤かくにん　⑥はんだん　⑦相手　⑧しつれいな
⑨じょうしき　⑩職　⑪やめて　⑫しじ　⑬確かめたり　⑭相談　⑮つねに　⑯かいぎ
⑰連れて　⑱濃厚　⑲きゅうりょうび　⑳知識
● p138　16章・17章　クイズ
【1】1．官　2．判　3．退　4．厚　5．賛
【2】1．連　2．報　3．談　4．留　5．告　6．成　7．確
【3】1．きゅうじん　2．こうこく　3．てんいん　4．そうだん　5．じきゅう
6．しきゅう　7．しごと　8．れんらく
【4】活動　常識　情報　知識　相談　反対　賛成

【18章　会社】
● p140　管理職
①せかいさいだい　②さいたん　③ふくしょう　④ふくしゃちょう　⑤すいどうかん
⑥かんりしょく　⑦くだ　⑧ゆうりょくしゃ　⑨にんきもの　⑩きしゃ
①最も　②最後　③最近　④最高　⑤副作用　⑥保管　⑦若者　⑧医者
● p141　世代
①あらわす　②げんこう　③しゅつげん　④きゅうせい　⑤きゅうか　⑥むかしばなし
⑦ついで　⑧じかい　⑨しだい　⑩せきじひょう
①現れた　②現実的な　③現在　④旧式　⑤旧友　⑥旧正月　⑦昔　⑧次
● p142　予算1
①いちおく　②きざす　③きざし　④ついえる　⑤がくひ　⑥しょうひしゃ　⑦かいひ
⑧しょくひ　⑨さんすう　⑩あんざん

①一億円　②兆　③兆し　④前兆　⑤費やした　⑥費用　⑦予算　⑧計算
● p143　予算2
①とも　②しきょうひん　③ていきょう　④かんぜい　⑤じきょう　⑥ぞうぜい
①供える　②供給　③税金　④消費税　⑤減税　⑥税関
● p144　復習
【1】1．ふくしゃちょう　2．にんきもの　3．きゅうせい　4．あらわれた　5．なんおく
6．あんざん　7．ぜいきん　8．かんりしょく　9．さいきん　10．むかし
【2】1．最後　2．保管　3．消費税　4．次　5．供　6．副作用　7．兆し　8．計算
9．新聞記者　10．表現

【19章　産業】
● p146　産業1
①うまれた　②うぶごえ　③せいさんしゃ　④とうさん　⑤ざいさん　⑥のうぎょう　⑦のうか
⑧ぼうえき　⑨あきなう　⑩しょうてん
①産まれた　②産業　③出産　④不動産屋　⑤農学部　⑥貿易　⑦商売　⑧商業
● p147　産業2
①きかい　②きかん　③きき　④きかい　⑤はた　⑥あぶない　⑦あやうい　⑧あやぶまれる
⑨ほけん　⑩けんあくな
①機能　②動機　③転機　④機械　⑤危険な　⑥危ぶまれる　⑦険しい　⑧険しい
● p148　技術
①わざ　②えんぎ　③ぎじゅつ　④しゅじゅつ　⑤びじゅつかん
①技　②球技　③技術　④芸術
● p149　手工業
①あんだ　②あみもの　③へんにゅう　④めん　⑤わた　⑥ぬの　⑦もうふ　⑧はいふ
⑨かわ　⑩ひにく
①手編み　②編集　③前編　④綿　⑤布　⑥散布　⑦毛皮　⑧脱皮
● p150　貧富
①まずしくて　②ひんけつ　③びんぼうな　④とんだ　⑤とんでいる　⑥ほうふ　⑦ひんぷ
⑧ひとしい　⑨どうとう　⑩たいとうに
①貧しい　②貧弱な　③富士山　④富　⑤豊かな　⑥均等　⑦等身大　⑧上等な
● p151　復習
【1】1．せいさんしゃ　2．のうぎょう　3．こうつうきかん　4．わざ　5．ひんぷ
6．きけんな　7．あみもの　8．わた　9．けがわ　10．ひとしい
【2】1．産まれた　2．貿易　3．険しい　4．機械化　5．美術館　6．平等　7．商売
8．編集　9．技術　10．豊かな

【20章　法律】
● p152　ルール1
①ほうがくぶ　②ほうほう　③りっぽう　④ほうりつ　⑤きりつ　⑥りちぎな　⑦きそく
⑧しんき　⑨げんそく　⑩ほうそく
①方法　②文法　③自律的　④規則　⑤規格　⑥規模　⑦反則　⑧変則的な

● p153　ルール2
①きんし　②きんじられた　③ゆるす　④めんきょ　⑤きょか　⑥じけん　⑦じょうけん
⑧ようけん
①禁じる　②禁酒　③許す　④許容　⑤物件　⑥件数
● p154　犯罪
①おかす　②はんにん　③ぼうはん　④はんざい　⑤つみ　⑥ないよう　⑦びょういん
⑧ようりょう　⑨ぎもん　⑩ようぎしゃ
①犯す　②犯罪　③罪悪感　④収容　⑤容易に　⑥疑われた　⑦質疑　⑧半信半疑
● p155　争い
①あらそう　②せんそう　③やぶれた　④しょうはい　⑤たいはい　⑥しっぱい　⑦ふはい
⑧へい　⑨へいき　⑩ぐん
①争う　②争い　③失敗　④敗れる　⑤敗退　⑥兵　⑦軍　⑧一軍
● p156　政治
①やくしょ　②やくわり　③はいやく　④へいえき　⑤だいじん
①役員　②大役　③使役形　④大臣
● p157　復習
【1】1．ほうりつ　2．きかくがい　3．おかした　4．つみ　5．せんそう　6．しっぱい
7．ぎもん　8．きょか　9．へいき　10．だいじん
【2】1．規則　2．方法　3．原則　4．犯罪　5．用件　6．禁止　7．許せない
8．内容　9．疑う　10．大役
● p158　18章〜20章　アチーブメントテスト（配点：【1】【2】は各2点，【3】は各4点）
【1】1．②　2．④　3．①　4．③　5．②
【2】1．②　2．③　3．②　4．④　5．③
【3】①あらわれる　②のうか　③貧しい　④かわ　⑤豊かに　⑥疑問　⑦役に立ちたい
⑧産業　⑨むかし　⑩あらそい　⑪何億　⑫しだいに　⑬予算　⑭しゅっぴ　⑮税金
⑯保険　⑰技術　⑱もっとも　⑲者　⑳たいやく
● p160　18章〜20章　クイズ
【1】①犯　②規　③件　④機　⑤術
【2】①臣　②編　③険　④記　⑤役　⑥農
【3】①さんぎょう　②のうぎょう　③ぎじゅつ　④きかいか　⑤しょうぎょう　⑥ぼうえき
⑦ゆたかな
【4】①副　②貧富　③平等　④方法　⑤税金　⑥許して　⑦戦争　⑧兵器　⑨禁止
⑩役目　⑪実現　⑫険しい
● p162　12章〜20章　まとめテスト
【1】1．②　2．④　3．④　4．②　5．④
【2】1．④　2．①　3．③　4．③　5．①
【3】①卒業　②ぼうえき　③覚える　④易しく　⑤授業　⑥くろう　⑦じきゅう　⑧さがして
⑨逆　⑩おうだんほどう　⑪左折　⑫はんざい　⑬危険　⑭注意　⑮さんれんきゅう
⑯にはくみっか　⑰日程　⑱ゆきまつり　⑲りゅうがく　⑳つづきます

# 漢字マスター N3
## Kanji for intermediate level

2011 年 6 月 20 日　第 1 刷発行
2018 年 7 月 30 日　第10刷発行

| | |
|---|---|
| 編著者 | アークアカデミー |
| | 遠藤 由美子　齊藤 千鶴　下重 ひとみ |
| | 樋口 絹子　石橋 彩　細田 敬子 |
| 発行者 | 前田 俊秀 |
| 発行所 | 株式会社 三修社 |
| | 〒 150-0001 東京都渋谷区神宮前 2-2-22 |
| | TEL　03-3405-4511　FAX　03-3405-4522 |
| | 振替 00190-9-72758 |
| | http://www.sanshusha.co.jp |
| | 編集担当　藤谷 寿子 |
| 編集協力 | 浅野 未華 |
| デザイン | 山口 俊介 |
| DTP | 有限会社ファー・インク |
| 印刷所 | 壮光舎印刷株式会社 |
| 製本所 | 株式会社松岳社 |